cc

D1052651

DOMAINE FRANÇAIS

REFLETS
DANS UN ŒIL D'HOMME

Le lecteur trouvera la liste des ouvrages
du même auteur en fin de volume

© Nancy Huston, 2012

© ACTES SUD, 2012
pour l'édition française
ISBN 978-2-330-00587-0

© LEMÉAC ÉDITEUR, 2012
pour la publication en langue française au Canada
ISBN 978-2-7609-0807-9

NANCY HUSTON

Reflets
dans un œil d'homme

essai

RETIRÉ DE LA COLLECTION UNIVERSELLE
Bibliothèque et Archives nationales du Québec

ACTES SUD / LEMÉAC

A Chloé Réjon

… et à la mémoire de Nelly Arcan.

AVANT-PROPOS

Belle comme une image

Des yeux masculins regardent un corps féminin :
immense paradigme de notre espèce.

Pendant les deux mille millénaires de la vie humaine sur Terre, le lien chez les mâles entre regard
et désir a été une simple donnée de l'existence.
L'homme regarde, la femme est regardée. L'homme
appréhende le mystère du monde, la femme *est* ce
mystère. L'homme peint, sculpte et dessine le corps
fécond ; la femme *est* ce corps.

Certes, les femmes regardent les hommes aussi
et les hommes regardent les hommes et les femmes
regardent les femmes... Mais le regard de l'homme
sur le corps de la femme a ceci de spécifique qu'il
est involontaire, inné, programmé dans le "disque
dur" génétique du mâle humain pour favoriser la
reproduction de l'espèce, et donc difficilement
contrôlable. Ses répercussions sont incalculables,
et très largement sous-estimées.

Une fois que l'on est sensibilisé à ce thème on
le voit partout, pour la bonne raison qu'*il est partout*. Il fait l'objet de mille proverbes, expressions,
commentaires populaires. "Elle m'a tapé dans l'œil",
disent les hommes français ; "A l'époque, dit-on
plaisamment en anglais, tu n'étais même pas une
lueur dans l'œil de ton père". On peut penser aux

9

yeux du loup dans les dessins animés de Tex Avery, qui, en se posant sur une belle créature, s'exorbitent et deviennent zizis...

Si le lien regard-désir chez l'homme est proverbial, c'est qu'il remonte à la nuit des temps et repose sur un substrat biologique, lié à la survie de notre espèce. Mais dans les discours intellectuels contemporains, il est farouchement nié, refoulé, oublié... parce qu'il implique l'existence d'un lien puissant entre la séduction et la reproduction : idée-anathème, chassée de l'esprit des Occidentaux depuis un demi-siècle.

*

All the world's a stage, comme dit Shakespeare. Le monde entier est une scène, la vie humaine c'est du théâtre. Au long de notre existence, selon les artéfacts mis à notre disposition par notre culture, nous apprenons nos rôles et les jouons de notre mieux – imitant, improvisant, tâtonnant, cherchant l'approbation...

Féminin, masculin : oui, aussi, en partie, du théâtre. *Mais seulement en partie.*

Dans les sociétés traditionnelles, les femmes se sont toujours accommodées du regard des hommes sur leur corps. Grossièrement exprimé, les jeunes femelles humaines tout comme les guenons tiennent à séduire les mâles, car elles veulent devenir mères. Pour atteindre cet objectif, elles se font belles. Aveuglés par nos idées modernes sur l'égalité entre les sexes, que nous refusons de concevoir autrement que comme *l'identité* des sexes, nous pouvons faire abstraction un temps de cette réalité énorme mais, si l'on n'est pas totalement barricadé derrière nos certitudes théoriques, il y aura toujours un électro-choc pour nous la rappeler.

A l'automne 2009, la lecture du roman *Putain* de Nelly Arcan a été pour moi un tel électrochoc. Ah oui ! me suis-je dit dès les toutes premières pages de ce livre, c'est vrai, ça : les femmes *se font* belles. Jeunes et moins jeunes, elles se livrent concurrence dans ce domaine, s'acharnant sur leur corps, le corrigeant, le charcutant, dépensant leur argent pour l'améliorer, pour être la plus jeune la plus mince et la plus jolie. Je le savais, bien sûr. L'écrivain en moi le savait ; la femme, l'adolescente et la petite fille le savaient ; seule la "penseuse" en moi refusait encore, par moments, de le savoir, en raison du dogme dominant de notre temps, aussi absurde qu'inamovible, dogme selon lequel toutes les différences entre les sexes sont socialement construites.

*

Le féminisme n'a jamais bien su quoi faire de la coquetterie féminine. Le plus souvent, il a préservé l'idée chrétienne d'une différence radicale entre corps et esprit, et la surévaluation de celui-ci par rapport à celui-là. Il a raisonné comme si la beauté physique était une valeur aliénante, plaquée sur les femmes par le machisme millénaire, exacerbée à l'ère capitaliste par les industries de la cosmétique et de la mode. Dans cette optique, la coquetterie était quasiment un "péché". Fais gaffe, ma fille, disaient les mères féministes tout comme les mères catholiques : quand un garçon te fait la cour, demande-lui toujours : "Tu t'intéresses à moi, ou seulement à mon corps ?"

Comme si le soi pouvait se passer d'un corps ! Comme si l'esprit était plus authentiquement "soi" que le corps ! Comme si le corps – la manière dont nous l'apprêtons, l'habillons, le coiffons, le maquillons, le bougeons – ne portait nullement l'empreinte de notre esprit ! Comme si l'appréciation de notre corps par les hommes, l'admiration dans leur regard, la tendresse dans leurs caresses ne produisaient pas sur notre soi des effets… extraordinaires !

Si nous persistons à croire en un moi qui serait, sinon immortel, du moins indépendant des vicissitudes de la vie, il est clair que la beauté, par essence éphémère (à l'instar du corps mais plus encore que lui), devient une sorte d'imposture. Vous, les hommes, vous la regardez, l'admirez, désirez l'approcher pour vous en emparer… mais ce n'est pas vraiment moi. C'est une apparence, donc trompeuse. Puisque je la sais sans poids, pure illusion, leurre, autre que moi, j'ai honte d'avouer l'importance qu'elle revêt à mes propres yeux…

Chaque femme pourrait écrire l'histoire de son rapport à la beauté, analyser la place qu'a occupée dans sa vie son apparence physique. Ayant moi-même été, dans ma jeunesse, non une grande beauté mais une femme plus que moyennement mignonne, mon corps a été scruté, détaillé, jaugé, jugé et commenté par des milliers d'hommes inconnus un peu partout dans le monde, et ceci, de façon tantôt sympathique et tantôt antipathique. Jeune, je réagissais à ce phénomène avec fureur et indignation. Même quand je n'étais pas personnellement impliquée – quand je voyais, par exemple, une affiche de film ou une couverture de magazine montrant plusieurs hommes "matant" une femme nue ou quasi nue –, la rage féministe m'étranglait. Il m'a fallu longtemps pour admettre, ou plutôt pour me rappeler, qu'existe aussi chez les femmes le désir d'être "matée". (Fait paradoxal, j'y reviendrai : les femmes sont plus passives dans le discours féministe que dans la réalité.)

Entre la fin du XIXe et le début du XXe siècle, deux événements ont infléchi la destinée des femmes en Occident de manière radicale et en sens contraire : l'invention de la photographie, et le féminisme. Les effets existentiels sur notre vie de ce double mouvement sont tantôt cocasses, tantôt sordides voire tragiques. Aucune société humaine, sans doute, ne s'est trouvée empêtrée dans une contradiction aussi inextricable que la nôtre, qui nie tranquillement la différence des sexes tout en l'exacerbant follement à travers les industries de la beauté et de la pornographie.

Nous montrons du doigt les femmes qui se couvrent les cheveux ; nous, on préfère se bander les yeux.

I

ATAVISMES ET AVATARS

Il y a aussi de l'universel, quelque chose d'archaïque et d'envahissant, ne sommes-nous pas tous piégés par deux ou trois figures, deux ou trois tyrannies se combinant, se répétant et surgissant partout, là où elles n'ont rien à faire, là où on n'en veut pas ?

NELLY ARCAN

Une fécondité dotée de sens

La vie de tous les primates supérieurs (groupe animal auquel appartient *Homo sapiens*) suit une trajectoire dont certaines étapes sont incontournables. L'une de ces étapes est la naissance. Ainsi la célèbre boutade beauvoirienne "On ne naît pas femme, on le devient" est-elle avant tout un truisme : on naît bébé, parfaitement indifférent à l'égard du sexe auquel on appartient.

Tel n'est pas le cas, en revanche, de nos parents. Dans aucune société humaine à aucune époque de l'histoire, un nouveau-né n'a été accueilli par les mots : "C'est un enfant !" Toujours et partout on a estimé pertinent de préciser aussitôt son sexe, car cette précision apportait des informations cruciales concernant l'avenir, le devenir, la destinée sur Terre du nouveau-né en question. Qu'on le veuille ou

17

non, dans l'Occident du XXIe siècle, elle en apporte toujours. De quelle nature sont ces informations ?

Par exemple : si le corps du bébé est doté d'un utérus, il sera susceptible plus tard de fabriquer en son sein d'autres corps, tant masculins que féminins ; s'il est doté d'un pénis, non. Même si tout le monde de nos jours (moi la première) admet comme valable pour une femme de ne pas *vouloir* engendrer, cela n'atténue en rien ce fait massif : les hommes ne *peuvent* le faire.

Or les humains ont l'irrésistible manie de tout interpréter, même les simples faits biologiques, en eux-mêmes dépourvus de sens. Et leur interprétation de ce fait-là a été lourde, très lourde de conséquences : à travers les âges, l'un des sexes a été, de façon constante, regardé, dessiné, sculpté, vénéré, approprié, violé, voilé, excisé, prostitué, adoré, redouté, craint, détesté, voué aux gémonies et porté aux nues par l'autre. La femme par l'homme. Le corps à la fécondité spectaculaire par celui à la fécondité discrète. Aucune autre espèce de primate n'a éprouvé le besoin d'inventer des mythes, contes, récits, racontars, légendes et religions pour expliquer la différence des sexes, alors que *toutes* les cultures humaines l'ont fait. Attribuer un sens à cette différence est l'un des traits fondamentaux pour ne pas dire *fondateurs* de l'humanité.

Voici l'enchaînement : on cherche une signification à tout. On interprète. On suppute que la division de notre espèce en mâles et femelles a été décidée en haut lieu, *pour une raison*. D'emblée on est dans la religion, dans la peur. En découlent : gestes de propitiation et de magie ; dessins et sculptures pour présenter, représenter et transformer une réalité que l'on ne comprend pas.

Chez les primates supérieurs un peu inférieurs, la domination des mâles ne fait pas un pli. Les mâles roulent les mécaniques, se tapent sur la poitrine et se battent entre eux pour accéder aux femelles ; celles-ci montrent leurs fesses, conçoivent, accouchent, allaitent... Les plus forts dominent les plus faibles ; l'anatomie c'est le destin.

Que seules les guenons accouchent, mettant au monde des bébés tant mâles que femelles, les singes mâles s'en fichent comme de l'an quarante. Les mâles humains, en revanche, n'en reviennent pas, ne s'en remettent pas. Depuis la nuit des temps, ils scrutent, tripotent, ouvrent et referment, sculptent et dessinent le corps de la femelle pour comprendre non seulement comment ça se passe, cette histoire de gestation, mais de quel droit ou en quel honneur ils en sont exclus.

Que les femelles s'occupent des petits ne signifie rien chez les singes. Mais comme tout, chez les humains, paraît doté d'une signification, serait-elle cachée, comme tout nous pousse à nous gratter la tête et à nous demander *pourquoi* (même lorsqu'il n'y a pas de *pourquoi* autre que le *c'est-comme-ça* de l'évolution), le fait d'avoir été dominé par une femelle dans les premières années de la vie peut être vécu par le mâle comme une humiliation. Au sortir d'une enfance vécue sous l'autorité d'une femme, l'homme regarde le corps féminin avec ambivalence, en le désirant et en le redoutant, en le jalousant et en le détestant.

L'ambivalence fait l'humanité, fait l'art. Pas d'ambivalence chez les autres primates, pas d'art non plus. Françoise Héritier, anthropologue et professeur au Collège de France, l'exprime ainsi : "La pensée naissante, pendant les millénaires de la formation de l'espèce *Homo sapiens*, prend son essor sur ces observations et sur la nécessité de leur donner du sens, à partir de la première opération qui consiste à apparier et à classer" (II, 15).

Pourquoi la "valence différentielle des sexes" pour reprendre le terme d'Héritier, est-elle universellement en faveur des hommes ? "Pourquoi la situation des femmes est-elle mineure, ou dévalorisée, ou contrainte, et cela de façon que l'on peut dire *universelle*, alors même que le sexe féminin est l'une des deux formes que revêtent l'humanité et le vivant sexué et que, de ce fait, son «infériorité sociale» n'est pas une donnée biologiquement fondée ?" (I, 11.) Les recherches d'Héritier l'ont amenée à avancer cette hypothèse intéressante : "Ce n'est pas l'envie du pénis qui entérine l'humiliation féminine mais ce scandale que les femmes font leurs filles alors que les hommes ne peuvent faire leurs fils. Cette injustice et ce mystère sont à l'origine de tout le reste, qui est advenu de façon semblable dans les groupes humains depuis l'origine de l'humanité et que nous appelons la «domination masculine»" (I, 23).

En d'autres termes, si les hommes ont dominé les femmes dans toutes les sociétés humaines au long de l'Histoire, c'est parce qu'elles portaient des enfants. D'une part cela les rendait vulnérables : elles avaient besoin de la protection des hommes, spécialement pendant les périodes de grossesse et d'allaitement ; mais d'autre part, dénué de sens en lui-même, le fait que la parturition soit réservée aux femelles a été perçu par les mâles, selon les cas, comme un privilège, un avantage, un scandale ou un mystère sacré.

Tout cela est passionnant et sans doute vrai. Mais je suis convaincue qu'indépendamment de toute angoisse sur d'où ils viennent, et pourquoi, et de quel droit…, les hommes ont une prédisposition innée à désirer les femmes par le regard, et que les femmes se sont toujours complu dans ce regard parce qu'il préparait leur fécondation.

L'évolution est lente

Il nous est malaisé pour ne pas dire impossible de concevoir la lenteur du processus de l'évolution. Nous sommes toujours si pressés ! Or *Homo sapiens* a survécu pendant 90 % de son histoire grâce à la chasse et à la cueillette : nous sommes descendus des arbres voici quatre millions d'années, les premières perles fabriquées par des doigts cro-magnons datent d'il y a seulement quarante-trois mille ans ; rien ne permet de distinguer notre ADN à nous de celui des Egyptiens de l'Antiquité… Du point de vue de l'évolution, l'âge paléolithique c'était hier.

Les profonds bouleversements entraînés par le Néolithique – invention de l'agriculture, sédentarisation des sociétés, fondation de villes, instauration de la propriété privée et de la transmission de cette propriété, établissement des lignées et, peu à peu, de la monogamie – n'ont encore laissé aucune trace dans nos génomes. On s'enorgueillit à juste titre des progrès de la modernité (fusées interplanétaires, bombes atomiques, gratte-ciels, voitures, ordinateurs), mais notre cerveau reste celui de nos ancêtres de la préhistoire.

Résumons en quelques mots ce que cela implique pour les rapports entre les sexes.

Toutes les espèces animales ne sont pas sexuées. Les mammifères, en revanche, le sont ; dans ces espèces, mâle et femelle ont besoin l'un de l'autre pour se reproduire. Pour être certain de transmettre ses gènes, le mâle a intérêt à répandre sa semence le plus largement possible, dans le plus grand nombre possible de corps de femelles jeunes et bien portantes, c'est-à-dire susceptibles de mener une grossesse à terme et de survivre à un accouchement. Sur des millions d'années, la vue du mâle humain s'est adaptée pour reconnaître des femelles fécondables et envoyer des signaux à ses testicules pour y réagir. Certes, un homme ne bande pas automatiquement chaque fois que ses yeux se posent sur une femme désirable (sans quoi ce serait à peu près infernal) ; les stimulations sont filtrées et, quand la situation ne se prête pas au sexe, il dispose d'un mécanisme cérébral de "verrouillage" de l'érection. Mais pour peu que – sous l'effet de l'alcool, de la rage, d'une situation de guerre ou de "tournante" – ce verrouillage saute, pour peu que ses inhibitions se lèvent, le mâle humain sera prêt (surtout s'il est jeune) à entrer en action.

La femelle humaine, au contraire, n'a pas intérêt à copuler avec le premier venu, car son implication dans la reproduction est incomparablement plus lourde et longue que celle du mâle. Afin d'être certaine d'avoir des rejetons viables, susceptibles de transmettre ses gènes à leur tour, elle doit peser le pour et le contre de chaque coït. Elle aura tendance (car intérêt) à choisir ses partenaires avec discernement, préférant un mâle qui lui semble non seulement physiquement fort mais psychiquement fiable, susceptible de rester plusieurs années auprès d'elle et de l'aider à nourrir ses petits.

Que, dans leur rapport à l'autre sexe, les filles valorisent plutôt "l'amour" et les garçons plutôt "la baise" correspond à leur destinée reproductrice respective : l'une lente, l'autre rapide. Les femmes "veulent que ça dure" afin d'avoir un père pour leur progéniture ; les hommes veulent féconder le plus de ventres dans le moins de temps possible. Du coup, il n'est pas rare que les garçons feignent d'aimer pour pouvoir baiser, alors que les filles feignent de désirer pour pouvoir piéger. Voilà comment se sont organisés les rapports entre les sexes chez *Homo sapiens* pendant la quasi-totalité de son histoire.

"Nous ne sommes pas des chimpanzés", a fait remarquer récemment la philosophe féministe Elisabeth Badinter. Et elle a raison, bien sûr : nous sommes en effet les seuls primates supérieurs à avoir formulé l'interdit de l'inceste et élaboré autour de lui de complexes systèmes de parenté, avec des règles strictes d'endogamie et d'exogamie. L'humanité c'est peut-être cela au fond : l'espèce animale ayant réussi à convaincre ses mâles qu'il n'était pas dans leur intérêt de toujours donner suite à leur désir de sauter (sur) les femelles. En ce sens, on peut dire que les hommes sont plus civilisés que les femmes, car ils doivent accepter que leur pulsion sexuelle naturelle (omnivore) soit limitée, contenue et redirigée par la société.

N'empêche : nous partageons 98 % de nos gènes avec ces cousins antipathiques – dont, sans aucun doute, ceux qui relient le regard des mâles à leur excitation sexuelle.

La nature n'est pas politiquement correcte ; seuls les humains peuvent l'être.

Le Malin

Parce qu'ils vivent dans le temps, conscients de leur mortalité, les humains ont besoin de sentir que leur existence est dotée de sens. Pendant la majeure partie de l'Histoire humaine, ce sens leur venait de la certitude d'occuper dans le monde la place qui leur revenait. Une hiérarchie n'est pas forcément humiliante ; si tous les membres d'une société se disent que "les choses sont ainsi" depuis les temps immémoriaux, tous y trouvent leur compte. Dans les sociétés de chasseurs-collecteurs, les femmes s'occupent de la cueillette, de la cuisine et des enfants ; les hommes sont chasseurs, soldats et prêtres ; même si mythes et légendes exaltent de préférence les activités viriles, cet état de choses n'a rien de dévalorisant pour les femmes. Celles-ci savent leur rôle primordial ; savent aussi que, moins impliqués qu'elles dans la procréation, les hommes cherchent toujours à "se faire valoir".

Mais, semant la zizanie dans toutes ces évidences, a débarqué le Malin. Il n'a pas débarqué soudainement, comme dans les romans d'aventures. Non, il a débarqué progressivement, çà et là, un peu ici puis un peu plus là, dans le sillon de la pensée d'abord stoïcienne puis chrétienne. N'empêche, le bouleversement qu'il a provoqué est radical. Le Malin s'appelle : *individu*. Les droits de l'individu. Jamais la nature n'avait rien imaginé de tel. Au contraire : l'idée de l'individu n'a pu naître que dans des esprits désireux de s'arracher à la nature.

Qui a décrété que les êtres humains étaient égaux en droits ? Des hommes, se servant parfois de leur dieu comme mégaphone. Dans un premier temps, ils ont estimé que ce principe nouveau, scandaleux, révolutionnaire, ne s'appliquait qu'à ceux-là mêmes qui l'avaient inventé : les mâles riches, instruits et privilégiés ; l'élite en somme.

Le problème qu'engendre la notion de l'individu est celui de l'*égalité*. Il est certes possible de vivre sans ; mais, si l'on invente rationnellement un principe, il faut s'y tenir rationnellement. La brèche était ouverte. Le ver était dans le fruit. Et, logiquement, une fois que le ver était dans le fruit, ça s'est mis à grouiller. *Qui avait droit à ce droit ?* Peu à peu, la notion de l'individu s'est étendue pour inclure non seulement les mâles instruits mais aussi les paysans, les ouvriers, et enfin, après d'énormes résistances (y compris, souvent, de la part des intéressées), les femmes. Oui, à leur corps défendant, les humains de certains pays ont été amenés à formuler l'idée que même les femmes pouvaient prétendre aux droits de l'homme.

C'est parce que les humains sont devenus affamés d'égalité qu'éclatent, à l'âge moderne, de graves conflits entre les sexes.

Tout cela est incroyablement récent, et il faudra attendre longtemps avant que ne se transforme le jeu de regards mis en place par les primates de la préhistoire.

Les atavismes perdurent

Depuis quelques décennies, et pour la première fois dans l'histoire de la planète Terre, une espèce animale a réussi à séparer radicalement sa sexualité de sa reproduction. Il va de soi que j'approuve cette révolution et que j'en profite ; pour autant, elle ne fait de nous ni des dieux ni des robots, et est loin de nous libérer de tout déterminisme biologique. Ce n'est pas en cinquante petites années (ni en cinquante mille) que l'on transforme les gènes ! Même si une fraction croissante de l'humanité choisit de ne pas procréer, *Homo sapiens* demeure une espèce animale programmée comme toutes les autres pour se reproduire et, que cela nous plaise et nous flatte ou non, nos comportements sont infléchis par cette programmation.

En nous, pour nous, mille facteurs décident à notre insu. Par exemple, c'est très spontanément et sans réfléchir que nous trouvons "dégoûtante" l'odeur de la merde, mais cette perception n'a rien d'objectif (les mouches trouvent la même odeur irrésistible) ; c'est que notre cerveau a évolué pour nous faire fuir des molécules qui représentent un risque pour notre santé. Inversement, si nous trouvons délicieuses les sensations que procure la copulation, c'est que cette activité permet à nos gènes de se reproduire.

La beauté humaine n'est pas non plus une donnée *en soi* ; un chien trouvera plus beau le visage du vieux clochard qui le nourrit que celui de n'importe quel *top model*. Les critères traditionnels de la beauté féminine, ceux auxquels on fait allusion en dessinant avec les deux mains les courbes de la "nana sexy" (gros seins, taille fine, larges hanches), sont au départ, tout comme la peau lisse et sans rides, des signes de jeunesse et de bonne santé, donc de fécondité.

"Mais enfin, s'exclameront certains lecteurs hommes, la dernière chose à laquelle je pense quand je mate une fille c'est à la mettre en cloque !" Voilà l'orgueil humain : naïvement, et avec la meilleure foi du monde, nous sommes persuadés de savoir ce que nous faisons et de faire ce que nous voulons. En approchant une guenon pour copuler avec elle, le chimpanzé non plus ne songe aux rejetons qui résulteront de cet acte. Il ne se dit pas : "Tiens, voilà une bonne guenon aux gènes qui pourraient avantageusement se combiner avec les miens." De même, les hommes qui fréquentent des boîtes de nuit avec *lap dancers*, ces jeunes danseuses quasi nues qui viennent se trémousser sur leurs genoux, seraient étonnés d'apprendre qu'ils donnent dix fois plus de pourboires aux filles en période ovulatoire.

Bien que nous adorions croire notre volonté toute-puissante, nous sommes loin d'être le "nous"

que nous pensons être, et ne comprenons qu'impar-
faitement les mobiles de nos propres actes.

"J'aime regarder les filles*"

La réaction physiologique d'un homme à la vue
d'une belle jeune femme est largement involontaire ;
elle s'atténue mais ne disparaît pas avec l'âge. J'en
discutais récemment avec trois peintres de mes amis :
F. (quatre-vingt-dix ans), G. (cinquante) et H. (soixante).

F. : On peut être fatigué, éreinté, déprimé, obsédé par des soucis financiers et affectifs gravis-
simes... il suffit de descendre dans la rue et de voir
un joli brin de fille dont on devine les seins à travers le T-shirt, et *whoosh*, le désir nous envahit,
nous transporte ! Même l'Eglise catholique a été
obligée de reconnaître que ce n'était pas un péché
de bander dans ces moments-là, car ce mouvement
du corps est indépendant de la volonté de l'homme.
Ça peut lui tomber dessus à tout moment.

*

G. : Je me souviens, après mon divorce, de m'être
retrouvé seul dans mon atelier – c'est une période
que j'ai *voulue* solitaire, aussi – mais il y a eu des
moments vraiment très difficiles. Là, je me posais
la question de savoir jusqu'où je pouvais vivre cette
vie à la campagne avec moi-même pour seule compagnie, sans avoir envie tout le temps d'aller en
ville. Boire un verre ou deux sur une terrasse et

* Titre d'un film français sorti au mois de juillet 2011.

voir passer de belles femmes, qu'est-ce que ça me fait du bien…

*

N. : *Penses-tu que ce qui se passe entre les yeux d'un homme et le corps d'une femme a quelque chose d'atavique ?*
H. : Oui, j'en suis complètement convaincu. Ne serait-ce que la manière dont, souvent, les femmes marchent dans la rue, le regard baissé… parce que si leurs yeux rencontrent ceux des hommes, c'est une provocation. Alors que moi, mes yeux se baladent en permanence…

*

F. : La semaine dernière j'étais dans un restaurant avec une amie et à une grande table juste à côté il y avait une douzaine de jeunes gens, dont une fille d'une beauté éclatante. Ses proportions, sa façon de bouger, tout son corps étaient pleins d'harmonie. Je me suis rendu compte que si je la regardais d'une manière "mâle", sexuelle, elle était follement attirante, d'une beauté incroyable… alors que si je la regardais avec mon œil de photographe, elle n'était pas si belle que ça. Mais elle rayonnait de santé !
N : *Donc la santé faisait partie de son sex-appeal ?*
F. : Exactement. Là, c'est naturellement lié à la fécondité… Et le *lust* – l'accès de désir instantané – est terriblement difficile à contraindre ; c'est même très pénible ! Tout en sachant que, dans deux ou trois heures, ce sera passé.
N : *Deux ou trois heures ?*
F. : Oh oui ! après cette fille, ça m'a bien pris deux ou trois heures pour me remettre. Et on est devant un mystère. On sait qu'on est manipulé par ses

hormones, par des éléments chimiques, et en même temps on se dit : Je suis l'instrument de *quelque chose d'autre*. C'est ça qui est intéressant. Et ce *quelque chose d'autre*, c'est la beauté. Pourquoi sommes-nous attirés par la beauté ? Il faudrait aller au-delà des explications réductrices.

*

A chacun et à chacune de réfléchir, au-delà des explications réductrices, à l'émoi que provoque en l'homme la vue de la beauté féminine. L'important, ici, c'est que la société l'oblige à *gérer* cet émoi : il n'a pas le droit de sauter sur la première femme qui l'attire. Les hommes qui sautent sur la première femme qui les attire sont sévèrement punis. Tous les garçons apprennent dès leur plus jeune âge à contrôler, à canaliser, à dévoyer et à sublimer leur envie des filles. Et toutes les filles apprennent qu'il leur faut tenir compte du regard masculin, que ce soit pour l'attirer ou pour l'éviter. C'est une *donnée* pour elles fascinante, excitante, à la fois désirable et dangereuse, susceptible de conduire au grand amour comme au viol, au bonheur comme au malheur.

Répétons-le, les primates mâles, même ceux qui sont dotés d'un grand cerveau, sont programmés pour être stimulés par la vue des belles jeunes femelles de leur espèce afin de répandre leur semence chez le plus possible d'entre elles, maximisant ainsi les chances de survie de leurs gènes. Toutes les banques de sperme le savent, qui mettent des exemplaires de *Playboy* (ou équivalent) dans les cabines où doit se recueillir la semence des futurs papas. C'est mécanique : quelques minutes plus tard, l'infirmière peut venir chercher l'éprouvette et la fécondation *in vitro* peut commencer.

Bien sûr, une fois qu'on a dit que le lien entre la vue et le désir est inné chez l'homme, on n'a pas encore dit grand-chose car la spécialité des humains est d'élaborer autour des données de la biologie des codes, rituels, traditions et artéfacts. Ceux-ci relèvent des cultures particulières et non plus de la nature – la preuve, ils sont divers : danses du ventre, bijoux, miroirs, voiles et voilettes, sous-vêtements, bas résille, tchadors, pieds bandés, gaines, guimpes, porte-jarretelles, ceintures de chasteté, bikinis, harems, jeux de regards, bordels, espaces de prière séparés, piscines séparées, écoles séparées... Depuis que l'humanité existe, chaque société a trouvé sa ou ses manières de gérer le regard que l'homme aura ou n'aura pas le droit de porter sur le corps de la femme. En revanche, aucun pays ni société n'a jamais estimé qu'une telle gestion était superflue, que c'était une question sans intérêt, un problème qui n'avait pas besoin d'être réglé.

Il n'est pas facile de se détacher un tant soit peu de nos certitudes et coutumes en la matière pour en percevoir la relativité. Les hommes français contemporains trouvent normal de pouvoir "mater" des femmes à toute heure du jour et de la nuit, et c'est ce qu'ils font. Si les femmes musulmanes souhaitent se détendre une heure à la piscine sans que leurs cuisses, fesses, seins et dos soient jaugés par des inconnus, est-ce une preuve de l'oppression de "leurs" hommes... ou de l'arrogance crasse des "nôtres" ? Sommes-nous si logiques que cela, nous autres femmes occidentales, à exiger de pouvoir nous balader tous charmes dehors sans être dérangées ?

Signature génétique

Nous sommes fiers d'être l'espèce qui, de toutes, a le plus de liberté pour improviser nos comportements : en l'occurrence, nous pouvons exclure délibérément de nos activités érotiques toute perspective reproductrice. Mais que l'on jouisse avec un membre de notre propre sexe, avec une poupée, un fantasme, ou notre conjoint mais en utilisant des protections contraceptives, cela ne change rien du point de vue de l'évolution, qui affiche sa sublime et amorale indifférence sur des centaines de millions d'années.

L'homosexualité, la prostitution, la guerre, le planning familial, la stérilité choisie sont des éléments culturels qui se reproduisent par imitation (des *mèmes*, les savants appellent cela) ; s'ils devaient se généraliser, notre espèce pourrait disparaître et l'univers ne s'en porterait pas plus mal, mais le fait est qu'elle n'en prend pas le chemin. Le fait est que l'immense majorité des humains continue de faire des enfants à la vieille manière, à travers la rencontre d'un spermatozoïde et d'un ovule à l'intérieur d'un corps de femme ; le choix du partenaire pour ce faire s'effectue lui aussi à l'ancienne : femmes aussi jeunes et belles que possible, hommes aussi riches, forts et fiables que possible. Ces comportements-là non seulement persistent mais signent, c'est-à-dire, *ont une signature génétique*. Bien plus qu'ils ne se l'imaginent, les libertins et les *queers* ressemblent aux moines et aux bonnes sœurs : tous ces *anti-breeders* (opposants de l'engendrement) s'évertuent à contrer la biologie, à faire un pied de nez à la programmation génétique. Pas de problème. Ils peuvent s'amuser comme ils veulent, que ce soit par l'abstinence ou le *fist-fucking* ; l'espèce s'en moque car ceux qui la narguent disparaissent sans laisser de trace.

Concrètement, ce que cela implique, aujourd'hui comme à l'époque néolithique, c'est que les hommes vont "voir" ailleurs. Ce n'est pas forcément qu'ils auront des amantes, ni même qu'ils fréquenteront des prostituées, mais ils fantasment beaucoup, se masturbent beaucoup, et dans nos sociétés contemporaines, recourent régulièrement, pour 80 % d'entre eux, à la pornographie (Brenot). Ce faisant, ils répandent leur semence et c'est ce qu'ils sont programmés pour faire. Peu importe que ce soit "en pure perte" du point de vue de la reproduction ; du moment qu'il y a éjaculation fréquente et compagnie variée, celle-ci serait-elle imaginaire ou du même sexe qu'eux, le génome n'y voit que du feu.

Certes les femmes aussi vont voir ailleurs, mais elles ne rôdent pas par milliers dans les rues des grandes villes à la recherche d'un contact sexuel anonyme, et sont nettement moins nombreuses que les hommes à chercher sur Internet des images d'hommes inconnus qui les feront jouir. L'orgasme féminin est une expérience merveilleuse, ce n'est pas moi qui dirai le contraire, mais il n'est pas requis pour la conception d'un enfant et les femmes supportent relativement bien l'abstinence sexuelle, alors que l'éjaculation des hommes est nécessaire pour la fécondation et, surtout quand ils sont jeunes, l'abstinence les fait physiquement souffrir.

De tels propos sont choquants à notre époque. On n'en veut rien savoir. Parce qu'on a prononcé le divorce entre érotisme et enfantement, parce qu'on a décidé de promouvoir cette absurdité selon laquelle hommes et femmes sont "au fond" pareils, on ne relève pas ces différences pourtant remarquables. S'étant battues pour se libérer du poids des

maternités répétées et obligatoires, les femmes pré-
fèrent oublier tout lien possible entre séduction et
reproduction, entre coquetterie et grossesse, entre
érotisme et maternité.

Or, beaucoup plus qu'on ne le pense, cela nous
coûte cher.

II

ELLE GRANDIT, LA PETITE

Quand j'étais petite, je voulais rester petite.

NELLY ARCAN

La première image

Ce que perçoit tout être humain en ouvrant les yeux pour la première fois, même s'il n'a aucun moyen de l'identifier comme tel, c'est un corps de femme.

Cette femme est toute-puissante vis-à-vis de l'enfanteau. Il dépend d'elle pour tout : son confort, sa nourriture, sa survie. Il s'endort blotti contre elle, rassuré par l'odeur qu'il a assimilée au long des mois passés de l'autre côté, pendant son développement embryonnaire. En l'allaitant, en le berçant, en le torchant, en chantant pour lui peut-être, sa mère le recherche constamment des yeux, fait tout pour éveiller, aiguiser et focaliser son attention visuelle.

C'est sur le visage d'une femme que, presque toujours, apprennent à faire le point les yeux humains. Au cours de ses premières années sur Terre, l'enfant passera le plus clair de son temps en présence d'un corps de femme. Il se situera *par rapport* à ce corps, d'une proximité rassurante ou envahissante, d'une distance bénéfique ou désastreuse.

La mère n'est pas seulement la première *image*, elle est aussi le premier *regard*, la première paire d'yeux à nous transformer en objet – et, par là, en sujet. Dans *L'Etre et le Néant*, Jean-Paul Sartre parle longuement du "regard de l'autre", et du soi qui enrage de devoir être capté et jugé par ce regard. Mais le fait est que tous les humains se constituent sous, avec, et grâce au regard d'autrui… et que, au cours des premiers jours et mois de notre existence, c'est presque toujours notre mère (ou celle qui nous tient lieu de mère) qui, par son regard, nous fait littéralement *exister*.

Elle me donne le bain. Parfois elle se déshabille, prend son bain avec moi, et je la vois, toute. Intimités en gros plan, merveilleuses ou intimidantes. Puis, peu à peu, ce corps se retire de moi. Il se referme et se cache. Je n'ai plus accès à ses seins, plus le droit de les humer, d'y enfouir mon visage, d'agripper de mes lèvres ses tétons pour en tirer du lait. Ses seins me sont devenus tabous.

Oui, la vie humaine commence auprès du corps nu d'une femme : d'abord donné à voir, puis soustrait à la vue. A défaut de côtoyer la nudité de la mère, l'enfant continue d'être attentif à tout ce que *fait* ce corps. Ses habits, ses mouvements, sa toilette, sa façon de se maquiller, de s'épiler les sourcils, de se laver les dents, de se peindre les orteils… C'est en imitant ce corps immense qu'il apprend à s'occuper du sien, si petit, si maladroit. La mère lui enseigne, par ses gestes et sa voix – d'abord son ton, ensuite, à mesure qu'il commence à capter le langage, ses paroles –, l'hygiène, la propreté, les mille manières de dire et de faire qui forment la culture de base dans notre partie du monde. Il y a tant de choses à apprendre !

La Madone pose sur le bébé Jésus un regard de tendresse : modèle de l'amour maternel pendant des siècles, dans notre partie du monde. Mais dans la vraie vie, une fois révolue la période de l'allaitement, le rapport à la mère est rarement fait de tendresse seule. Cette femme géante nous *voit*, nous épie, nous surveille et nous domine. Elle nous cajole et nous sermonne ; nous caresse et nous tape. Bien des hommes infligeront plus tard, aux femmes de leur entourage, un semblable traitement à la "douche écossaise" – alternant, à des doses variables, imprévisibles, tendresse et violence, amour et autorité. Surtout, la plupart des hommes voudront s'assurer de la possibilité de *voir* – épier, surveiller et dominer – les femmes.

Quant à celles-ci, elles découvriront en grandissant que ce n'est pas bien, pas bon pour elles, de regarder franchement les hommes. Fillettes, adolescentes, jeunes femmes, elles apprendront plutôt à détourner et à baisser les yeux pour ne pas paraître "provocantes". Elles auront bien le temps, plus tard, d'animer leurs yeux... en regardant leurs enfants !

Drôle d'asymétrie, quand on y pense.

Dédoublement

La phase nommée "stade du miroir" par le psychanalyste Jacques Lacan advient entre six et dix-huit mois : c'est le moment où l'enfant comprend que l'image qu'il voit dans la glace est "lui". Comme le miroir est de nos jours un objet banal et omniprésent, on oublie qu'il a été absent de la majorité des vies humaines. A ma connaissance, ni Lacan ni ses disciples n'ont tenu compte de cette absence de miroir dans les sociétés anciennes et traditionnelles. Certes, des glaces à main en bronze ou en argent poli existaient dans l'Antiquité gréco-romaine, mais ce n'est qu'à la fin de la Renaissance qu'a été mise au point la technologie nécessaire à la fabrication de miroirs "en pied", dans lesquels un bébé (et *a fortiori* un adulte) pouvait saisir son reflet dans sa totalité. Même alors, il s'agissait d'objets très coûteux, inaccessibles au commun des mortels (d'où la stupeur provoquée, en France au XVIIe siècle, par la galerie des Glaces à Versailles) ; c'est seulement à la fin du XIXe siècle que leur usage commence à se généraliser. Il est fort probable que, dans les sociétés sans miroirs, le "sentiment de soi" se construit différemment que dans la nôtre.

Le stade du miroir est déjà une forme de dédoublement. Il advient de façon symétrique pour les membres des deux sexes. Mais vers l'âge de six ou sept ans, les petites filles se scindent différemment des petits garçons. Leur dédoublement est plus profond et plus permanent. De façon non symétrique, ceux-ci deviennent "regardeurs", et celles-là, "regardées". Souvent, à partir de là, la fille entretiendra avec son miroir un rapport angoissant pour ne pas dire névrotique. Non contente de voir à quoi elle ressemble, elle *critiquera* son apparence, car ce n'est plus à travers ses propres yeux qu'elle la voit mais à travers les yeux intériorisés de l'autre, de beaucoup d'autres.

Dans chaque existence de femme, il y a un avant et un après le dédoublement. Avant, on ne savait pas. On était spontanée. On coïncidait bêtement (à la manière des bêtes) avec son corps. On courait, riait, sautait à la corde, roulait du haut jusqu'en bas de la colline, faisait de la bicyclette, du tricycle, chantait à tue-tête. Dorénavant, on se regarde courir, rire, sauter… On est devenue, dit la langue anglaise, *self-conscious* : il y a un(e) autre (en) soi qui juge et jauge le soi, parfois gentiment, mais très souvent durement.

L'écrivaine québécoise Nelly Arcan se souvient de l'"enfant au miroir". Elle éprouve une nostalgie douloureuse pour l'époque où elle trouvait son reflet simplement *amusant*. "C'était le bon temps de la beauté non faite de canons, écrit-elle dans *Burqa de chair*, la beauté non imprégnée du sexe des hommes, celui de la facétie, de l'autodérision où l'on se trouve à son aise devant les traits de son visage qui deviendront un jour ingrats ; c'était le temps où ça fait plaisir de s'enlaidir, pour rire ; c'était le temps d'avant la dramatisation du visage où tout est à remodeler, le temps d'avant le temps de l'aimantation, du plus grand sérieux de la capture des hommes" (69).

Oui, à l'époque on se faisait laides exprès, on louchait, on tirait sur la commissure des lèvres pour se faire une bouche énorme, on se mettait des déguisements drolatiques et on se peinturlurait le visage. L'apparence était encore une affaire souple et ludique, pas grave. Ce que l'on comprend à partir du jour du dédoublement, c'est que tout cela – le corps, le visage, les cheveux, les habits, les ongles, la posture –, au lieu de se jouer, *se travaille*. C'est une matière brute qui a besoin d'être transformée, améliorée, investie par l'esprit, tirée vers une beauté particulière et propre. Dans le monde occidental, où les progrès technologiques et la liberté d'expression ont provoqué au XXe siècle une véritable explosion pornographique, la beauté féminine doit suivre un sentier étroit : on apprend aux fillettes à être jolies sans être aguicheuses, séduisantes mais non séductrices, désirables mais non désirantes, féminines mais non femelles, en un mot, belles mais pas putes.

Schrecklich

Immerath, Allemagne, octobre 1959. Vous avez six ans. C'est une scène d'essayage. Il s'agit de passer une jupe que vient de vous léguer une cousine ou une voisine un peu plus âgée que vous. Vous avez revêtu la jupe et elle vous plaît, vous êtes dans le mouvement des choses, toute prise par l'excitation et le bonheur d'un habit neuf.

Y a-t-il un miroir dans la pièce où se déroule cette scène ? Vous n'en gardez pas le souvenir.

Ça y est, la jupe est en place, vous venez de remonter la glissière et de fermer le bouton à la taille. De l'autre côté de la pièce, votre belle-mère et sa mère à elle vous regardent. Elles vous demandent de faire quelques pas, de vous retourner... puis de tournoyer comme si un partenaire vous faisait valser. Happée par l'euphorie du nouvel habit, vous vous exécutez avec plaisir. Puis la mère de votre belle-mère prononce un mot en allemand.

"Schrecklich", dit-elle.

Vous venez d'arriver en Allemagne, vous ne connaissez pas ce mot ; vu le contexte, vu votre bonheur, vous êtes sûre d'en comprendre le sens : ça doit vouloir dire "joli", "parfait", "superbe" !

Ensuite vous voyez votre belle-mère opiner du chef en fronçant les sourcils avec une moue désapprobatrice. Il est clair que quelque chose ne va pas. Quoi ?

Les deux femmes vous font signe d'approcher : l'ourlet de la jupe est inégal, les pans ne retombent pas comme il faut, c'est trop long, ou trop court, vos genoux dépassent ou disparaissent, peu importe : la scène laissera en vous une empreinte indélébile. *Schrecklich* veut dire "horrible". C'est le premier décalage violent entre vous (euphorique) et votre image (horrible).

Façons de voir

Dans une étude importante intitulée *Ways of Seeing*
(1972, traduit en français en 1976 sous le titre *Voir
le voir*), l'écrivain d'origine britannique John Berger a trouvé des formules puissantes pour évoquer
le sentiment de dédoublement propre aux femmes.

"Une femme doit constamment se surveiller, écrit
Berger. Elle est accompagnée pour ainsi dire en
permanence par l'image qu'elle a d'elle-même. Alors
qu'elle marche à travers une pièce ou verse des
larmes aux obsèques de son père, elle a du mal à
ne pas s'envisager en train de marcher ou de ver-
ser des larmes. Depuis sa plus tendre enfance on
lui a appris qu'il fallait se surveiller constamment.
Ainsi en vient-elle à considérer l'observateur et l'observée en elle comme deux éléments constitutifs
mais distincts de son identité de femme. Elle doit
surveiller tout ce qu'elle est et tout ce qu'elle fait
parce que la manière dont les autres la perçoivent,
et en dernière analyse la manière dont les hommes
la perçoivent, est de la plus haute importance pour
ce que l'on considère habituellement comme le
succès de sa vie. Son propre sentiment d'être est
évincé par le sentiment d'être appréciée pour elle-
même par un autre" (46).

Berger poursuit : "Les hommes regardent les
femmes. Les femmes se regardent en train d'être
regardées. Cela détermine non seulement la plupart des rapports entre hommes et femmes, mais
aussi le rapport des femmes à elles-mêmes. L'observateur à l'intérieur de la femme est masculin,
l'observée, féminine. Ainsi la femme se transforme-
t-elle en objet – et plus particulièrement en objet
visuel, c'est-à-dire en image" (47).

Quand je les ai lues pour la première fois il y a trente ans, ces pages m'ont fait un fort effet. Aujourd'hui elles me paraissent problématiques parce que Berger n'a pas songé à inclure la biologie comme explication, même partielle, de ces phénomènes ; son analyse est exclusivement économique. Marxiste à l'époque où il a écrit cet essai, Berger ne s'est pas posé la question de savoir *pourquoi* les hommes ont toujours dominé les femmes ; *pourquoi* ça n'a jamais été l'inverse*. Il parle de l'Occident moderne et constate que, dans nos sociétés, les hommes dominent, possèdent l'argent, commandent les tableaux, dirigent les entreprises, vendent les produits, se servent de l'image féminine pour se faire valoir et se faire plaisir. Mais ce n'est là qu'une des *formes* qu'a prises la domination masculine au cours de l'histoire humaine ; ailleurs et autrefois, cela s'est passé et se passe différemment (harems, voiles, interdiction de la représentation…).

Voici par exemple un paragraphe de *Ways of Seeing* sur la représentation des femmes à l'époque contemporaine dans les médias, la publicité, et à la télévision – qui, affirme Berger, ne fait que reprendre et prolonger l'aliénation instaurée par la tradition picturale. "La manière de voir les femmes, l'utilisation qui est faite de leur image, n'a pas changé dans son essence. Les femmes sont représentées très différemment des hommes – non parce que le féminin est différent du masculin – mais parce que

---

* Ma démarche ici est calquée sur celle de Jared Diamond dans *De l'inégalité parmi les sociétés*. Il ne suffit pas, dit Diamond en substance, de dénoncer les invasions coloniales, il faut se demander *pour quelle raison* les Européens ont été en mesure de coloniser les autres continents ; pourquoi ce ne sont pas les Africains, par exemple, qui ont vogué jusqu'aux Amériques pour les envahir et les spolier.

le spectateur «idéal» est toujours supposé masculin et que l'image de la femme est conçue pour le flatter" (64).

L'important dans ce passage est l'incise – glissée en passant entre deux tirets, presque entre parenthèses – "non parce que le féminin est différent du masculin". Car si le féminin ne diffère aucunement du masculin, comment explique-t-on que les seuls hommes possèdent l'argent, commandent des tableaux, dirigent les entreprises, et ainsi de suite ? Pourquoi ne voit-on nulle part le cas contraire ? Si les deux sexes ne sont pas différents du tout, n'est-il pas étrange, confondant, voire totalement incompréhensible que, partout sur la planète Terre depuis les débuts de l'espèce humaine – y compris dans les cultures non occidentales dont Berger fait l'éloge parce que, non encore entrées dans l'ère industrielle, elles n'étalent pas la nudité féminine comme une "chose" à consommer, passive et indolente –, ils aient été perçus, décrits et traités comme différents ?

Make-up, make-believe

Dans vos jeux de petite fille, consciente maintenant de l'importance de la beauté pour les femmes, pour *la* femme que vous serez un jour, vous jouez à vous faire belle. Vous passez de longues après-midi chez vos copines, à fouiller dans les vieilles malles ou à emprunter les affaires de leur mère, à essayer, à combiner, *tu-me-maquilles-je-te-maquille !* Robe de taffetas sur votre poitrine plate, chapeaux, fleurs, rouge à lèvres, boucles d'oreilles, bracelets, broches, colliers… "Eh ! regarde, il y a même un *tiare* !" Ça brille, je brille, je suis élégante, une grande dame. "Et maintenant toi tu serais le monsieur, tu me trouverais *ravissante*, tu me dirais…" Excitation de la transformation. A participer à ces gestes magiques, ces rituels ancestraux de la féminité, vous avez le cœur qui bat fort.

Jusqu'à l'âge de dix ans environ, tout cela reste de l'ordre du jeu. Mais à mesure qu'approche la puberté, le jeu devient plus grave, les enjeux aussi ; vous pressentez obscurément que votre vie en dépend. A travers les sitcoms, les séries, les films que vous regardez à la télévision, vous devinez peu à peu que les femmes, pour exister, *doivent* séduire les hommes.

Un jour, en feuilletant un magazine qui traîne à la maison, vous tombez sur un dessin humoristique qui vous donne beaucoup à réfléchir : assis au bord d'un lit, un couple s'embrasse passionnément ; bulle de pensée de la femme : "Merci Revlon, merci L'Oréal, merci Max Factor, merci Estée Lauder…"

Vous essayez de comprendre. C'est angoissant.

En anglais, *to make up* ce n'est pas seulement se maquiller, c'est aussi inventer, imaginer. *To make up a story*, c'est inventer une histoire. Toutes les femmes modernes ont non seulement le droit mais quasiment le devoir de s'inventer, de s'imaginer, de se projeter dans la vie et l'apparence des stars du grand et du petit écran. ("Fais-toi les joues creuses, ma chérie", dit la mère photographe perverse à sa fille préadolescente, dans le film d'Eva Ionesco *My Little Princess*. "Tu sais, comme Marlène Dietrich !")

Vous apprenez vous aussi à admirer les stars, car elles font partie de votre culture. A douze ans, vous découpez dans les magazines les images des actrices qui "vous plaisent" – Ursula Andress, Gina

Lollobrigida, Liz Taylor – et les punaisez sur un panneau d'affichage dans votre chambre. Vous apprenez par cœur non seulement leurs mensurations mais les petits faits de leur vie : mariages et divorces, adultères et jalousies... C'est impressionnant, tout ce qu'il faut apprendre pour devenir femme ! Impressionnant, et intimidant. Le dédoublement devient chaque jour plus douloureux.

Votre corps se transforme peu à peu, et, avec lui, les regards qu'il attire. Votre innocence fond comme neige au soleil. A l'école, vous commencez à épier le corps des autres filles dans le vestiaire et à le comparer au vôtre. Debbie a déjà les seins qui poussent, Susan, la chanceuse, a le droit de se maquiller... Vous, non. Ni seins, ni maquillage. Ça vous fait mal d'en être privée.

Votre belle-mère gagne un peu d'argent en vendant au porte-à-porte des produits de maquillage. Un jour où elle s'est absentée, vous vous glissez dans sa chambre, ouvrez le précieux coffret d'échantillons et commencez, maladroitement, les mains tremblantes, à vous farder. Ombre de bleu sur les paupières, mascara sur les cils, rouge à lèvres, rouge à joues. Avec l'eye-liner, vous transformez en "mouche" le grain de beauté sous votre œil gauche. Ensuite, ramassant vos cheveux sur le sommet de votre crâne en une "cascade de boucles" (bien qu'ils soient en réalité désespérément raides), vous vous plantez devant la glace pour vous contempler, les yeux mi-clos. C'est essentiel, les yeux mi-clos : l'image doit être suffisamment floue pour vous paraître celle d'une *autre*, d'une inconnue. Et... ça marche ! Ah qu'elle est belle cette jeune femme-là, c'est fou ! On dirait une princesse !

Après, vous prenez soin de tout bien remettre en place, dans le coffret de maquillage. Il ne faut pas laisser d'indice qui trahirait vos simagrées séductrices.

Mais la princesse virtuelle vous accompagne désormais. C'est elle, pas vous, qui recevra bientôt les premiers hommages des garçons, sous forme de quolibets et de pelotages. C'est elle, pas vous, qui s'estimera digne de devenir l'épouse de votre Beatle préféré…

Le regard incestueux

Il vous arrive de croire que la petite scène avec la jupe en Allemagne a fondé votre regard d'écrivain. Peu après, vous vous êtes mise à décrire à la troisième personne vos propres faits et gestes, comme ceux d'un personnage de roman : "Nancy traverse la cuisine, prend un verre d'eau… Nancy nourrit le canari… regarde par la fenêtre… et se dit…"

En effet, le dédoublement n'est pas qu'un mal, qu'un handicap. Cela peut aussi être un atout – une vraie force, d'apprendre à "cadrer" le monde et d'avoir du recul par rapport à soi. Le dédoublement ne devient néfaste, mortifère, que lorsqu'il est lié à un certain type d'épisode de la petite enfance. Des abus, notamment sexuels, subis aux mains de ceux qu'on aime, ceux en qui on a(vait) confiance : frère, père, beau-père, ami de la famille…

Une forte ambivalence à l'égard du père, assortie de souvenirs d'abus, d'abandons ou de violences : une femme qui a connu ce type de perturbation dans l'enfance sera susceptible, plus tard, de se transformer en objet de façon aliénante. On a été frappée (ou abandonnée) par un être merveilleux. Si l'on a suscité ces punitions, c'est qu'on les a méritées, que l'on est mauvaise. Un sentiment négatif s'attache au moi intérieur (au "vrai moi"). Le corps est alors requis pour cacher les défauts de ce vrai soi et donner le change. A la différence du moi intérieur

– pourri, infecté, répugnant, mais invisible – le corps, lui, sera "parfait".

En effet, la plupart des "grandes coquettes", les femmes obsédées par leur apparence, par le besoin de plaire aux hommes, de les séduire, de les conquérir (et cela inclut bon nombre de prostituées), ont pâti dans l'enfance d'une mauvaise distance vis-à-vis du père : ou trop près ou trop loin. Adoration et peur. Caresses et violence. Papa soulève la robe… et frappe. L'association sera étroite dorénavant, entre caresses et violence.

Si une jeune femme a été violentée par ceux qu'elle aime, elle recherchera l'amour sous forme de violence. Si les frontières de son corps ont été défoncées, elle aura du mal à percevoir la différence entre mien et tien, entre dedans et dehors. Si elle a été fragilisée par son enfance, elle aura tendance à confondre désir et amour et à se mettre dans des situations de danger grave, voire mortel.

Nelly Arcan se souvient : "Un jour mon père qui tâtait mon poids du bout de ses genoux où je m'asseyais souvent a eu un drôle d'air ; quelque chose dans son visage s'est affaissé, ses joues sont devenues bulldog, ce jour-là un froid est passé entre nous qui voulait dire la tristesse, la sienne, de me voir grandir" (*Burqa de chair*, 72).

Le pianiste et compositeur d'origine cubaine Joaquín Nin, avant d'abandonner définitivement son épouse et leurs trois enfants, a fait des photos de sa petite fille Anaïs, toute nue. C'est l'amour éperdu pour ce père absent qui fera d'Anaïs, dès l'âge de onze ans, une écrivaine – et, plus tard, une aventurière de l'Eros. A trente ans, Anaïs Nin prendra l'initiative d'un vrai inceste avec son père adoré et détesté, événement qu'elle décrira par le menu dans les pages de son *Journal*.

La photographe américaine Lee Miller (1907-1977) a été violée à l'âge de sept ans par un "ami de la famille". Certains de ses biographes sont persuadés que c'est là une manière polie de désigner son père Theodor. Ce qui est certain, c'est que Theodor Miller avait, tout comme Joaquín Nin, une passion pour les photos érotiques. Un an après le viol de sa fille, quand celle-ci avait huit ans, il a commencé à la photographier nue. Sous prétexte d'explorer de nouvelles possibilités technologiques de l'appareil, il a fait de la petite Lee d'innombrables photographies "stéréoscopiques". Ces séances singulières se sont poursuivies dix ans durant, jusqu'à ce que Lee parte pour l'Europe.

Vous apprenez à faire cela. A vous mettre nue devant un homme, puis à lui obéir. Le corps nu. Sous les yeux du père. Qui vous adore et que vous adorez. Photographie. Technologie. L'homme possède la machine et détient le regard. Vous n'avez presque rien à faire. C'est si facile ! Vous vous exposez, juste. Vous vous déshabillez et vous montrez votre corps, tranquillement. L'homme vous regarde. Il vous aime en vous regardant. Vous êtes regardée. Vous apprenez à vous donner ainsi. Vous obéissez à votre père. Il dit qu'il faut se détendre. Qu'il faut sourire. Tantôt le regarder, tantôt ne pas le regarder, fermer les yeux, fermer presque les yeux, le regarder amoureusement, à travers vos cils...

Virginia Woolf a subi à l'âge de six ans les attouchements de ses deux demi-frères. Toute sa vie elle souffrira d'anorexie, demeurera frigide dans les bras de son mari et sera obsédée par son apparence, les miroirs, les vêtements, la conviction d'être laide et ridicule. On sait qu'en rencontrant Woolf à Londres en 1939, Sigmund Freud lui a offert un narcisse : drôle d'"amour de soi", chez cette écrivaine qui avait déjà fait plusieurs tentatives de suicide et qui, moins de deux ans plus tard, allait se noyer dans la rivière Ouse.

Il a bon dos, le narcissisme féminin. C'est souvent une disposition d'esprit suicidaire. Dans *Putain*, Arcan dit qu'il remonte chez elle à sa plus tendre enfance. "J'étais déjà une poupée susceptible d'être décoiffée, on commençait déjà à pointer du doigt ce qui faisait saillie (…), et déjà ce n'était pas tout à fait moi qu'on pointait ainsi, c'était le néant de ce qui empoussiérait ma personne, poussière de rien qui a fini par prendre toute la place" (40).

Arcan en est morte, tout comme Woolf.

Oui, il arrive que votre double finisse par vous buter.

III

ADOLESCENCE : DANGER

A seize ans, j'avais tellement envie de faire partie du monde adulte que je me suis mise à tambouriner sur la porte. Et, faut-il s'en étonner, on m'a ouvert.

MAUREEN GIBBON

A l'orée du désir

Vous avez douze ans. Lors d'un pique-nique dominical dans un grand parc de Calgary, vous vous éloignez un peu de votre famille en compagnie de Sandy, votre meilleure amie. Vêtues de shorts et de débardeurs, vous papotez en vous promenant au bord d'un lac... Vous croisez deux jeunes hommes venant en sens contraire, et l'un d'eux vous lance : "Revenez dans deux ans !"

C'est tout. Il ne se passe rien d'autre ce jour-là, mais vous voilà... quoi, au juste ? Secouée ? Offusquée ? Non... Emoustillée. Enchantée. Mon Dieu, vous dites-vous, cet homme pense donc que *je serai belle* ! Une de ces femmes qui font tourner la tête des hommes, et qu'ils suivent des yeux. Mais alors c'est que... c'est que... ma vie pourrait devenir palpitante !

Vous avez hâte qu'elle se mette à palpiter, votre vie. Vous étouffez un peu dans votre milieu protestant, fade et propre sur lui, avec ses hommes polis et modestes, à lunettes et à serviette, qui s'en vont au bureau le matin et en reviennent le soir ; ses femmes ménagères et leurs conversations ennuyeuses autour d'une tasse de thé. Fratrie nombreuse, sermons lénifiants, devoirs scolaires, corvées quotidiennes...

Cet hiver-là pendant les vacances de Noël, vous achetez une paire de bas résille et les revêtez – toupet inouï – avec une jupe courte. *Ouah !* Votre belle-mère est épouvantée. Elle appelle votre père : "Regarde ! Elle ne peut pas s'habiller comme ça ! On dirait une..." Votre père fait le gros dos : "Bof, faut bien qu'elle essaie des trucs. Personnellement, je trouve ça plutôt seyant."

Jubilation : grâce à votre reflet dans un œil d'homme, vous avez réussi à emporter une micro-victoire sur les valeurs arriérées et conformistes de votre milieu.

Dangers de garçons, dangers de filles

Autre étape incontournable dans la vie de tous les primates supérieurs, après la naissance et l'enfance : la *puberté*, qui se traduit chez les membres des deux sexes par un pic hormonal. Tout se tend alors, et il est soudain fortement question de copulation. Il s'agit de savoir quel mâle aura ou non le droit de copuler avec quelle femelle. Mais pour nous autres humains seulement, parce que nous parlons, racontons des histoires, avons des noms propres, sommes divisés en groupes ethniques et religieux, chacun avec son passé méticuleusement consigné, chacun avec des idées assez arrêtées sur ce qu'il est et les raisons pour lesquelles il est supérieur aux autres, l'arrivée à la maturité sexuelle est également associée à un certain nombre de risques et de dangers.

Dangers pour les garçons : on les devine, non seulement à travers les violents rites d'initiation liés à la puberté masculine, mais aussi à travers les comportements à risque qu'adoptent les jeunes hommes dans toutes les sociétés humaines. A peine l'adolescent se libère-t-il de l'emprise de l'univers maternel qu'il se trouve confronté… aux filles. Avec leurs "armes" à elles (leur beauté, leur séduction), elles le menacent. Elles l'attirent, éveillent son désir, le titillent, l'aguichent, l'appellent, l'induisent en tentation, le rendent fou, le manipulent, le piègent, le coincent, l'engloutissent, l'engluent, l'avalent, le dévorent. Il suffit de songer aux images de la féminité que véhicule notre culture : Pandore, Eve, sorcière, vamp, "femme fatale"… Perte de la liberté, de l'autonomie durement acquises. Oui, car les responsabilités d'un homme sont lourdes ; et même si, de nos jours, il n'est plus seul à assumer la charge matérielle d'une famille, il est constamment obligé de *prouver* qu'il est "un homme, un vrai", alors qu'il se sent si souvent faible et démuni. Jamais définitivement acquise, la virilité est fonction du prestige de l'individu mâle par rapport aux autres individus mâles. (Il est rare qu'on entende une jeune fille lancer à une autre : "Viens un peu là, si t'es une femme !")

Quant aux filles, les dangers qu'elles affrontent à la puberté sont divers (défloration avant le mariage, viol, grossesse non désirée, prostitution), mais peuvent se résumer sous un seul vocable : déshonneur. Si l'un de ces risques, et *a fortiori* plus d'un, devient réalité, le destin de la jeune fille en sera gravement infléchi. Altéré. Endommagé.

Partout où les humains vivent et ont vécu, ces différences entre les sexes ont été perçues comme importantes. De "grosses affaires". Ce sont des différences réelles : non résorbables, incontournables,

intemporelles. Pouvoir violer et pouvoir être violée ce n'est pas la même chose ; pouvoir engrosser
et pouvoir être engrossée non plus. Le monde entier sait cela… sauf certains idéologues à la mode
dans l'Occident contemporain.

Le miroir ennemi

Vous avez treize ans. Vous voilà enfin réglée, enfin
pleinement adolescente, et l'histoire d'être jolie ou
non, assez-jolie ou non, presque-belle-déjà ou non,
devient de plus en plus stressante et obsédante. En
rentrant chaque jour de l'école, vous vous plantez
devant la glace et vous scrutez de la tête aux pieds
avec un regard dur, impitoyable. Vous dressez la
liste écrite de ce tout ce qui ne va pas, et essayez
d'y remédier avant le lendemain.

Vous n'avez toujours pas le droit de vous maquiller… mais vous le faites. Transgressant les règles
parentales, vous arrivez à l'école chaque matin avec
dix minutes d'avance et, armée d'un kit secret,
consacrez ces minutes à vous farder dans les toilettes. La mode est à la vamp, matérialisée par le
mannequin anorexique au nom éloquent : Twiggy
("Brindille"). Vous vous grimez donc en Twiggy :
lèvres blanchies, joues creuses, yeux très agrandis
par un cercle lourd de khôl. En fin de journée :
deuxième visite aux toilettes pour vous démaquil-
ler en vitesse. (Le dédoublement s'aggrave : de la
nymphette perverse et de la jeune fille sage et pieuse,
laquelle est "vraiment vous" ?)

A force de feuilleter les magazines féminins et
de fantasmer indéfiniment sur les vêtements, vous
avez compris qu'il ne s'agit plus devant la glace de
vous (ad)mirer mais de vous corriger : épiler les sourcils, allonger les cils, ajouter du volume aux seins,

diminuer le volume des hanches, porter des gaines qui compriment l'abdomen, suivre des cours de gym, de danse et de fitness, colorer, couper et friser vos cheveux, surveiller votre poids de façon maniaque, compter vos calories, faire des régimes, courir les soldes, analyser et commenter interminablement, avec vos copines, les régimes et les soldes…

Tout le soi est devenu corps.

Le miroir donne à la jeune fille sa première leçon de matérialisme. "C'est une fois devenue grande, écrit Nelly Arcan, que les miroirs me sont arrivés en pleine face et que devant eux je me suis stationnée des heures durant, m'épluchant jusqu'à ce qu'apparaisse une charcuterie tellement creusée qu'elle en perdait son nom" (*Burqa de chair*, 74). Arcan en vient à penser que son esprit lui-même est devenu matière : "A force de se regarder on finit par voir son intérieur et il serait bien que tout le monde puisse le voir, son intérieur, son moi profond, sa véritable nature, on arrêterait peut-être de parler de son âme (…), on cesserait peut-être de se croire immortels" *(ibid.)*.

D'autres belles femmes vivent leur rapport à la beauté de manière plus positive et apprennent à tirer, du désir qu'elles suscitent chez les hommes, des bénéfices.

Nin devient coquette

En 1914, l'année après que son mari eut abandonné la famille, Mme Nin s'installe à New York. Elle élève sa fille Anaïs et ses deux fils dans la pauvreté, mais aussi dans la foi catholique et la fierté de leurs origines cubaines. Anaïs est retirée de l'école à l'adolescence en raison de sa santé fragile ; c'est une fille solitaire, rêveuse et introvertie, aux puissants penchants spirituels.

A dix-sept ans, soudain, grâce à des photos qu'on a faites d'elle, Anaïs se découvre belle comme un cœur. C'est une surprise, car son père lui avait toujours dit qu'elle était laide. "Mes photographies sont arrivées. La sensation qu'elles m'ont causée est inexplicable. *Toutes ces images ne sont pas moi.* (…) Mon profil est net et parfait (…) voilà que tout à coup je pense que c'est ainsi que j'apparais aux yeux du monde… Tout le monde me voit telle comme mes portraits *[sic]*, pas mes idées fantastiques, mes rêves, mes observations" (14 février 1920, souligné par l'auteur).

Quand les hommes commencent à tourner autour d'elle, Anaïs est flattée, émerveillée et reconnaissante. Comment résister à leur admiration, alors que celle-ci vient à flots remplir et encore remplir le trou sans fond qu'a creusé dans son âme la disparition de son père ?

Le culte qu'elle voue à Joaquín Nin n'empêche pas la jeune femme de se rappeler ses sautes d'humeur, sa violence physique envers son épouse et ses trois enfants. "Papa aimait bien nous donner des claques. (…) J'étais très consciente des terribles bagarres et des scènes de violence qui les opposaient [ses parents]. (…) Il se montrait très sévère avec nous et ce n'est qu'en jouant beaucoup la comédie que je réussissais à échapper aux punitions, car j'étais une remarquable actrice (…), je faisais n'importe quoi pour l'empêcher de relever ma robe et me donner une fessée. (…) Il était impulsif, coléreux, blessant, impitoyable dans ses jugements et presque aussi irresponsable qu'un enfant dans ses actes" (9 novembre 1920).

Nin a appris à "jouer la comédie" ; son enfance a fait d'elle une "remarquable actrice" ; elle s'est découvert un don pour le théâtre. Toute sa vie elle chérira ce don, le développera et l'utilisera à bon escient pour obtenir ce qu'elle veut. En effet, être l'objet du désir des hommes n'induit pas seulement une position de faiblesse, de victimisation et de passivité, c'est aussi – et comment ! et combien ! – une position de force. Tant qu'à faire, tant qu'à être belle et désirée, tant qu'à avoir les hommes à vos pieds, autant travailler cette beauté pour produire le maximum d'effet ; autant la revendiquer et s'en servir.

"On m'appelle coquette ? écrit Anaïs, toujours à dix-sept ans. Oui, eh bien, voilà ! une coquette suis-je. (...) Et tant que je peux paraître jolie, je ferai semblant, je serai toujours heureuse d'avoir un nouveau chapeau et une nouvelle robe" (29 février 1920).

Plus tard, à dix-neuf ans, alors qu'elle est déjà fiancée, Nin découvrira que sa beauté peut aussi servir à nourrir son intelligence ; là encore, elle en tirera profit. "Je ne refuse jamais la moindre occasion, par un mot, une attitude, un geste, de créer une intimité avec quelqu'un dans l'espoir de pénétrer plus profondément le cœur humain" (25 novembre 1922).

Une jolie fille suscite des confidences de la part d'un homme. Pour lui plaire, l'homme peut lui faire part de ses faiblesses, de ses regrets... Et la jeune femme d'en profiter pour cadrer, noter, engranger : "Je fais plaisir en échange d'une information que je pourrais acquérir sur la nature humaine. Il me semble que mon cœur, dans ses profondeurs, reste intouché par ces incartades de «littérateur» et qu'elles ne diminuent en rien ma sincérité" *(ibid.)*. Pas facile de savoir si Nin est restée "littérateur" plutôt qu'écrivain parce qu'elle s'est laissé obnubiler par les jeux de la séduction, ou si ceux-ci ont permis l'éclosion de tout ce qu'elle avait en matière de talent artistique.

Vous aussi : à partir de la puberté, c'est sans hésiter et à d'innombrables reprises que, comme Nin, vous avez "fait plaisir en échange d'une information que vous pouviez acquérir sur la nature humaine".

Des filles dans la rue

Treize ans toujours. Un soir, vous sortez de votre chambre par la fenêtre et retrouvez Sandy devant chez elle. En chemise de nuit, pieds nus, vous franchissez les quelques pâtés de maisons qui vous séparent de la 14e Rue. Ce n'est pas un lieu de perdition – loin de là ! –, simplement une rue où quelques cafés restent ouverts un peu tard. Presque hystériques, vous pouffez de rire sans cesse. A voir votre manège, quelques passants lèvent les sourcils. Mais rien d'autre ne se produit : l'expédition ne dure pas plus d'une demi-heure, car vous avez trop peur que vos parents ne découvrent vos lits vides. L'important c'est votre *désir du danger*, aussi inavouable qu'intense. *Votre volonté de vous mettre en danger.*

L'année d'après, vous décrochez votre premier emploi : plongeuse dans un restaurant. Un soir après le travail, le patron de l'établissement – grand rouquin anglais à la langue paillarde – vous invite à une petite fête avec les autres employés. Vous appelez votre père pour le prévenir que vous allez rentrer un peu plus tard que d'habitude. Sentant qu'il y a anguille sous roche, il vous demande où vous vous trouvez et s'y précipite aussitôt en voiture pour vous chercher. Zut ! Alors que vous vous sentiez enfin appartenir à la race enviable des "grands", vous voilà cueillie par votre papa et ramenée brutalement à l'état de petite fille. Vous êtes accablée de perdre ainsi la face. De retour à la maison, votre père vous serre fort contre lui, et vous sentez qu'il a eu vraiment peur. Ah là là, vous dites-vous, mais de quoi ont-ils tous si peur, à la fin des fins ?

Une jeune fille qui erre la nuit dans les rues d'une ville se sent toute tremblante d'excitation, justement parce qu'elle prend des risques. Elle sait lesquels : elle pourrait croiser un homme qui la happerait, la coincerait, arracherait ses habits, la violerait, l'assassinerait peut-être. Personne ne souhaite réellement *être* tué – mais, comparée à l'assommante vie-de-tous-les-jours avec papa-maman, la possibilité de ces dangers est euphorisante.

Si vous aviez été un garçon, vous auriez nourri des rêves d'aventure, de guerre, de voyages périlleux ; vous auriez été un lecteur passionné de Jules Verne et de *Spider-Man*. Etant une fille, vous rêvez d'être belle.

A chaque sexe ses dangers.

La pute et le caïd

Dans les sociétés traditionnelles, l'adolescence est le moment où l'appartenance au groupe est le plus fortement itérée, réitérée et entérinée. Dans l'Occident moderne, c'est au contraire l'époque où l'on rejette le plus violemment les appartenances reçues. En cette partie du monde où ont été remises en cause les structures contraignantes mais rassurantes (famille, Eglise, patrie), donner un sens à sa vie devient la grande question de l'adolescent(e).

Plus on a eu une enfance instable, plus on a vécu dans l'insécurité, plus on est en proie aux doutes quant à l'amour que l'on mérite et à l'avenir qu'on va pouvoir se construire, plus on aura tendance, à la puberté, à chercher le sens dans la prise de risque. Chacun prendra les risques propres à son sexe, en exacerbant les signes et comportements typiques de celui-ci. La fille s'efforcera de briller par la beauté et le *sex-appeal*, prenant le risque de se faire tabasser, violer, assassiner. Le garçon tentera de briller par l'audace et la dureté, prenant le risque de se faire coffrer ou tuer. A l'horizon, deux paradigmes : la *pute* et le *caïd*. (Prenons le temps de rappeler gentiment en passant que, chez les autres primates, n'existent ni prostitution ni criminalité.)

Les prostituées crânent souvent, et c'est normal. Les caïds crânent aussi, et c'est normal. Les deux ont été amenés à s'endurcir pour survivre, et ne peuvent se permettre de se montrer vulnérables. N'empêche : si l'on gratte la surface, l'enfant est là. La fillette est là sous la pute, et le garçonnet sous le caïd : effrayés, paniqués, furieux, aux abois, béants de besoins, sauvagement en manque d'amour. Alors qu'au départ la jeune femme et le jeune homme cherchaient simplement (comme nous tous) à s'arracher à la médiocrité, à se rendre admirables et un tant soit peu héroïques – en un mot, à *exister* –, ils sont désormais pris dans un cercle vicieux car, s'ils deviennent réellement pute et caïd, ils souffriront encore plus et devront s'endurcir encore plus... "Les conduites d'excès, écrit le philosophe et anthropologue François Flahault, constituent une démonstration de force, c'est-à-dire, aux yeux de ceux qui s'y livrent, de valeur et de plus-être. Mais elles entraînent des effets de destruction et d'autodestruction considérables."

Des exemples nous aideront à mieux saisir comment se passe cette prise de risque chez les adolescents de l'un et de l'autre sexe.

Née à Alger, Samira Bellil vit en banlieue parisienne avec ses parents. Adolescente, elle commence à avoir des velléités d'existence. Les études n'étant pas son fort, elle devient à treize ans l'amante du caïd du quartier. Elle s'affiche avec lui le plus souvent possible, et reste dans la rue à tchatcher, loin de la maison... car la maison, dit-elle, c'est la violence. Elle a été élevée "à coups de taloche, à coups de poing et à coups de pied au cul pour que ça rentre dans la tête (...). J'ai reçu de mes parents une éducation traditionnelle que l'on ne m'a jamais expliquée autrement qu'avec des coups, des cris ou des glaviots" (62).

A quatorze ans, désireuse d'exister plus fort et mieux, elle "choure" un chèque dans le chéquier de sa mère, va à Paris avec une copine et s'achète des Weston à 1 450 francs. De retour à la cité, ses nouvelles chaussures ne passent pas inaperçues. Son copain les remarque. Il la félicite de son achat et elle en tremble de bonheur. Il décide de prêter Samira à un de ses amis, "K.", et c'est là que les choses se gâtent : "[K.] me donne un énorme coup de poing. Il me relève par les cheveux, me traîne... Plus je crie, plus il me frappe. Complètement sonnée, abasourdie, terrorisée, j'obéis... Je suis morte de peur, je le supplie de me laisser tranquille, de me laisser rentrer chez moi... Excédé par mes hurlements, K. me frappe encore, de toutes ses forces. Je prends des droites dans la figure, qui m'assomment littéralement. Je pleure d'épuisement, d'impuissance, de douleur. Mon visage est inondé de mes larmes et de mon sang. Il n'a aucune pitié pour moi, il continue à me frapper jusqu'à ce que je n'aie plus la force de réagir... C'est terrible, la peur. Ça vous fait perdre tous vos moyens, ça vous coupe les jambes et le souffle. C'est comme une paralysie de tout l'être, le corps et l'esprit sont annihilés" (45-46).

Je cite longuement ce passage pour souligner le lien de cause à effet entre, d'un côté, le désir féminin de briller et, de l'autre, la violence masculine : à quatorze ans Samira a voulu être belle ; résultat, elle a été tabassée. Elle est punie parce qu'elle s'est comportée en "pute", et tout le monde sait que les "putes" méritent d'être punies. Ainsi secouée, traumatisée, la jeune fille sera prête à passer la nuit comme esclave sexuelle de ce petit bourreau de banlieue et de ses amis. Elle subira des tortures nombreuses et variées.

A partir de ce jour, Bellil vivra un chemin de croix qui durera dix-sept ans. Elle trouvera refuge dans l'alcool et la drogue, essaiera de s'en sortir, attrapera maladie sur maladie et aura accident sur accident, entreprendra à vingt-huit ans une psychothérapie, réussira à écrire un livre, *Dans l'enfer des tournantes*, et mourra d'un cancer de l'estomac à l'âge de trente et un ans.

Regardons maintenant de l'autre côté : quand un jeune homme constate que son avenir est bouché, que les voies normales du succès et de la reconnaissance lui sont fermées, que fait-il ?

Adolescent, l'obsession de Michel Vaujour était de "casser l'ennui, casser le non-sens toujours, casser la dynamique de vie qui t'emmenait tout droit à l'usine, casser le chemin qui était celui de nos pères… Mon père et ma mère ont été fonctionnaires toute leur vie. Très inféodés à l'autorité de la société. Moi c'était tout le contraire ! Le refus de cette soumission sociale. Oui, j'aurais voulu que mon père soit un héros*."

* Citations tirées du film de Fabienne Godet *Ne me libérez pas je m'en charge*.

Déçu par la réalité banale et bornée de sa famille, Vaujour se construit, tout comme Bellil, une "famille" parmi ses pairs. Encore comme Bellil, le moyen qu'il choisit pour essayer d'exister, c'est le vol. Lui, ne vole pas les chèques de sa mère mais des voitures. Un jour il se fait "piquer" et on le condamne à trente mois de prison. Il y entre petit délinquant et en sort grand criminel. "Je suis devenu une arme. L'arme que je n'avais pas, je l'ai construite. (…) Le monde, c'était clair pour moi, était très dur et j'étais devenu aussi dur que tout ce qui m'avait entouré pendant toutes ces années. Et même bien plus dur."

Rien de plus banal que de voir un garçon en mal d'être emprunter le chemin de la violence et de la transgression. L'évolutionniste David Buss se demande : "Comment la pression de la concurrence reproductive à laquelle sont confrontés les hommes explique-t-elle les formes typiques de la violence masculine ? Prenez le cas d'un homme qui a peu de ressources et un statut social médiocre, et qui, du coup, est sans intérêt pour les femmes. Dépourvu de tout ce que désirent les femmes, il est engagé dans une impasse sur le plan reproductif. Comme il n'a rien, il n'a rien à perdre. La violence devient un moyen très tentant pour améliorer ses perspectives. (…) Il adopte un comportement de prise de risques (…). Voilà pourquoi, à travers l'histoire humaine, les guerriers, aventuriers et explorateurs viennent si souvent des rangs des hommes ayant peu de stratégies alternatives pour se procurer les avantages du statut et des ressources. Et voilà pourquoi les hommes tout en bas de l'échelle reproductive recourent plus souvent à la violence" (63).

C'est là un exemple de l'excès où peut tomber, à force de vouloir tout expliquer, la théorie évolutionniste.

Disons que chez un adolescent qui se perçoit comme marginal, c'est-à-dire peu reconnu et peu valorisé par la société dans laquelle il vit, l'angoisse existentielle peut être intensifiée par des soucis inconscients liés à sa survie génétique ; les chances sont d'autant plus fortes qu'il cherchera à briller par l'aventure, la prise de risques, le comportement dangereux. Romain Gary nous rappelle utilement que lors de la débâcle de 1940, la majorité des résistants de la première heure était constituée (comme celle de certains groupes islamistes en Europe aujourd'hui) de "voyous", c'est-à-dire de marginaux, de laissés-pour-compte, de jeunes hommes sans diplôme ni emploi stable, sans identité claire et rassurante, à la recherche d'une cause à laquelle s'identifier.

La proposition récente d'une femme politique française, d'encourager les jeunes délinquants à faire carrière dans la police ou dans l'armée, est loin d'être dénuée de sens : aux yeux d'un paumé de banlieue qui se retrouve en prison, policier et soldat sont des métiers dangereux et donc virils, assez semblables à la voie qu'il a déjà choisie. "Je n'étais pas encore sûr si j'allais être dans la police ou dans les terroristes, dit Momo, le jeune héros de Romain Gary dans *La Vie devant soi*, je verrai ça plus tard quand j'y serai" (127).

Si l'on ne croit pas à la différence des sexes, on pourrait utilement faire un tour dans les prisons : dans le monde entier, la population carcérale est masculine à plus de 90 %. Buss signale que beaucoup de détenus (y compris des meurtriers) reçoivent en prison des lettres de femmes désireuses de les rencontrer, de les approcher et de les aimer. (C'est du reste le cas de Michel Vaujour qui, après avoir passé vingt-sept ans en prison, dont dix-sept en isolement, a réussi à s'en sortir grâce à l'amour de Djamila, une ancienne "visiteuse".)

Des millions d'autres garçons, de par le monde, s'en sortent moins bien.

Pour peu que l'on regarde le monde autour de soi, on voit que la différence des sexes y est partout inscrite, de façon flagrante et souvent douloureuse. Il y a des souffrances spécifiques aux garçons (ce sont eux, de façon très prépondérante, les sans domicile fixe, les détenus, les toxicomanes, les accidentés de la route, les suicidés…) et aux filles (ce sont elles les violées, les voilées, les prostituées, les battues, les excisées)…

Si l'on décrète l'indifférence des sexes, comment faire pour *penser* ces plaies, sans même parler de les *panser*?

IV

GENRE, QUAND TU NOUS TIENS

> *Il ne peut jamais y avoir de l'égalité,*
> *dans l'amour sexuel (...). C'était le pré-*
> *dateur mâle, il était par nature cou-*
> *reur, agité et cruel, il n'y pouvait rien.*

JOYCE CAROL OATES

Une théorie angéliste

Pourquoi, s'agissant des différences entre les sexes, tant d'intellectuels contemporains trouvent-ils intolérable, inadmissible, ce qui a été une évidence universelle jusqu'à notre époque ?

Dès les années 1930, au vu des applications désastreuses par les nazis des théories naturistes et eugénistes qui avaient dominé la pensée scientifique au cours des décennies précédentes, bien des auteurs ont choisi de nier en bloc toute forme de déterminisme. *Parce que* Hitler souhaitait non seulement entériner mais radicaliser les différences naturelles, il fallait décréter que toute disparité entre les sexes comme entre les races n'était que "construction" ou "élaboration secondaire". C'est l'idée de la plasticité humaine qui est devenue dogme.

L'anthropologue américaine Margaret Mead dit explicitement avoir pris alors la décision, avec son époux Gregory Bateson, de ne plus réfléchir aux

différences innées – *pour des raisons politiques* :
"Nous reconnûmes (…) que ce type de formula-
tion représentait un danger en raison de la tendance très humaine à associer des traits particuliers
au sexe, à l'âge ou à la race, au physique ou à la
couleur de la peau, ou avec l'appartenance à telle
ou telle société, puis à faire des comparaisons dé-
sobligeantes sur la base de ces associations arbi-
traires. Nous savions à quel point la discussion des
différences innées pouvait devenir politiquement
chargée ; nous savions que les Russes avaient abandonné leurs expériences avec l'éducation des jumeaux
identiques lorsqu'ils découvrirent que ceux-ci, même
élevés dans des circonstances très différentes, ma-
nifestaient des ressemblances étonnantes. A cette
époque [printemps 1935] il nous semblait clair qu'il
faudrait attendre une époque moins troublée pour
étudier plus avant la question des différences innées"
(cité *in* Ekman, 369).

L'époque "moins troublée" qu'appelait de ses
vœux Margaret Mead est arrivée à la fin des années 1980 – et, sautant à l'autre extrême, les Etats-
Uniens en ont profité pour foncer à nouveau dans
l'archidéterminisme, cette fois sous forme de socio-
biologie. Surtout dans les milieux intellectuels
conservateurs, on a assisté à une floraison de livres
et de théories soutenant au contraire que tout était
héréditaire. (Les travaux des évolutionnistes traduisent parfois eux aussi ce besoin de "totalisation"
théorique.)

En France, l'idée des différences naturelles est
très largement considérée comme une idée "de
droite", tandis que les idées "de gauche" sont fermement constructivistes. Ainsi assistons-nous, depuis
la Seconde Guerre, à un divorce grandissant entre
scientifiques et philosophes, ceux-ci ignorant avec
superbe les découvertes de ceux-là sous prétexte

qu'elles pourraient être instrumentalisées pour justifier l'oppression, ou pire. S'agissant de la différence sexuelle, sont devenus indissociables l'idée de nature et celle de "loi de la jungle". Liberté et égalité ne pourraient s'accorder, dans cette optique, qu'à ces constructions que sont les "genres", et non aux sexes. Le mot "sexe" est devenu quasi tabou – pas pour les mêmes raisons que chez nos aïeuls pudibonds (!), mais parce qu'il traduirait une soumission lâche et paresseuse à l'idée aliénante selon laquelle il pourrait exister de réelles différences entre hommes et femmes. C'est donc la dénégation des différences sexuelles qui, sous le vocable de *gender studies* ("études du genre"), a pris de l'ascendant dans les universités du monde occidental.

D'après certains spécialistes de cette discipline, il existerait non deux mais toute une palette de sexes, tout un nuancier de comportements, de choix et de goûts sexuels, irréductibles au masculin comme au féminin. Parmi bien d'autres, Françoise Héritier affirme, placide : "Chacun a son tempérament, cela n'a rien à voir avec le sexe (…) Une société est constituée d'une pluralité d'individus tous différents les uns des autres*." Dans une interview récente elle va plus loin encore : "Forgée au cours de la préhistoire, l'idée que les femmes doivent faire des enfants, et surtout des fils pour perpétuer l'espèce, persiste**." Quelle puissance divine, décidément, en nous autres humains : chez toutes les autres espèces mammifères, les femelles fabriquent tranquillement dans leur giron les rejetons des deux sexes ; chez nous, sans doute parce que nous parlons, il

---

* "Comprendre l'Autre. Les textes fondateurs", *Le Point Références*, n° 33, mai-juin 2011.
** "M. Guéant est relativiste", interview parue dans *Le Monde* du 12-13 février 2012.

est besoin de "forger" "l'idée" qu'elles "doivent" le faire !

Thomas Lancelot, cofondateur en 1997 de Mix-Cité, nous explique que "le nerf de la guerre c'est l'éducation", et que "si on continue à polluer l'imaginaire des petits avec une vision du monde sexué, les mentalités ne changeront pas*". D'autres penseurs vont jusqu'à affirmer que l'on ne devrait même pas *remarquer* le sexe des enfants à leur naissance.

Le mot de *genre* est certes utile, car le masculin et le féminin figurent parmi les éléments les plus frénétiquement retravaillés par l'espèce humaine : innombrables sont les manières adoptées, d'une société à l'autre et d'une époque à l'autre, pour signifier, réifier, souligner, assigner et *asséner* l'appartenance sexuelle. Mais le fait qu'il existe des individus "indécis" – hermaphrodites, trans-, bi-, homo- ou asexuels – ne permet pas de conclure que tous les comportements communément décrits comme masculins ou féminins résultent exclusivement de l'éducation. On n'a jamais trouvé, par exemple, une société humaine dans laquelle les hommes tissent et les femmes travaillent le bois. Même dans l'Occident moderne, où les femmes peuvent théoriquement faire "tout ce qu'elles veulent", on les voit rarement en train de tripoter le moteur d'une voiture, de se droguer aux jeux vidéo violents, de former des équipes de foot ou de diriger activement une armée.

Je précise à nouveau qu'*énoncer* un état de choses n'est pas l'*approuver*. L'être et le devoir-être, ça fait deux ; ce n'est pas parce qu'un comportement est inné qu'il doit être tenu pour sacré, admirable ou intouchable ; encore faut-il commencer par ne pas nier ce qui *est*. A certains égards, les "genristes"

* Cité dans *Télérama* du 20 juillet 2011.

ressemblent à ces illuminés qui, aux Etats-Unis et ailleurs, rejettent le darwinisme en faveur de l'*intelligent design* (l'idée qu'une entité supérieure aurait présidé à l'élaboration des différentes espèces vivantes, en manifestant une affection particulière pour la nôtre). Ici et là : même angélisme ; même insistance orgueilleuse pour décrire *Homo sapiens* comme une espèce à part. En effet, à l'instar de l'*intelligent design*, la théorie du genre nie la découverte darwinienne et refuse de placer l'humain dans une continuité biologique avec le monde animal.

Il est frappant que, chaque fois qu'un auteur tente de faire valoir de possibles différences réellement existantes entre les sexes, il ou elle est traité avec mépris de "différentialiste" et accusé de défendre l'idée surannée et oppressive de l'"Eternel féminin". Il semble ne jamais venir à l'esprit des fiers "universalistes" qu'il pourrait y avoir un "Eternel masculin" ; or c'est plutôt lui, l'objet de ma réflexion ici. De toute évidence, s'il passe si facilement inaperçu, c'est qu'il se donne justement pour universel depuis des millénaires. Néfaste homonymie, en français et dans de nombreuses autres langues, du terme qui désigne notre espèce (l'Homme) et de celui qui désigne le genre masculin (l'homme), avec pour résultat la rédaction de textes innombrables où l'on glisse de l'un à l'autre non seulement sans le signaler mais sans le remarquer. (Un exemple entre mille, ce chapitre des *Caractères* de La Bruyère justement intitulé "De l'Homme" : "Tout notre mal vient de ne pouvoir être seuls : de là le jeu, le luxe, la dissipation, le vin, les femmes, l'ignorance, la médisance, l'envie, l'oubli de soi-même et de Dieu.") Depuis que l'écriture existe, les lectrices ont appris tout comme les lecteurs à voir le monde à travers des yeux masculins.

A ma connaissance, le meilleur livre sur les différences entre les sexes comprises dans une perspective évolutionniste est celui de l'anthropologue américain Donald Symons, *Du sexe à la séduction*, dont la première édition date de 1979. Déjà à l'époque, alors que la "théorie du genre" tenait bien moins qu'aujourd'hui le haut du pavé, Symons savait que les résultats de ses travaux sur les différences sexuelles innées seraient interprétés comme insultants pour les femmes, tant est enracinée notre habitude de percevoir toute différence comme une hiérarchie et toute description comme une prescription.

Et la sexualité queer *?*

Le *queer*, nous apprend un récent article d'Eric Loret sur Marie-Hélène Bourcier, auteur de *Queer zones 3*, lutte contre les assignations, "aussi bien «l'hétéronormativité» qui, outre les pédés, gouines, trans, bi, etc., opprime en premier lieu les hétérosexuels, que l'«homonationalisme» (…). Le *queer* ne consiste pas à défaire le genre (…) mais à le «niquer», à faire «proliférer les genres»*."

L'une des antiennes favorites de la théorie *queer* est la nécessité, dans le domaine de la sexualité, de venir à bout de tous les "préjugés" et "tabous" (souvent gratifiés, dans ce discours, de l'épithète "judéo-chrétiens"). Ces penseurs semblent ne s'être pas demandé *pourquoi* toutes les sociétés humaines,

* *Libération* du 15 septembre 2011.

pas seulement la judéo-chrétienne mais toutes, y compris celle des *Noa Noa* délurés chers à Paul Gauguin, ont éprouvé le besoin d'ériger autour de la sexualité un système de règles, de prescriptions et de proscriptions. Peut-être avaient-elles quelques bonnes raisons de le faire ? La protection des femmes contre le viol, par exemple ? ou l'établissement de lignées généalogiques, pour l'entretien et l'éducation des enfants ? Mais non, nous voilà revenus à l'idée absurde selon laquelle il devrait être "interdit d'interdire". Le journaliste souligne que "chacun, s'il y réfléchit honnêtement, verra qu'il lui reste pas mal de centimètres carrés à gagner sur les interdits"... et de nous renvoyer, pour nous en convaincre, au chapitre de *Queer zones 3* consacré au BDSM (bondage sadomaso). A force de "réfléchir honnêtement" de la sorte, on finirait par comprendre que la liberté, dans le fond des fonds, n'est rien d'autre que l'esclavage.

Quoi qu'en aient les tenants du *queer*, la différence sexuelle est pleinement reconnue dans l'homosexualité, le transsexualisme, le transvestisme, et ainsi de suite. Lesbiennes et gays font parfaitement la distinction entre hommes et femmes ; sur quelle autre base, en fonction de quel autre critère, choisissent-ils leur partenaire sexuel ? De même, si l'on subit une intervention chirurgicale pour changer de sexe, c'est forcément parce qu'on trouve que ce n'est pas kif-kif. Même les hermaphrodites – cas rarissimes et pathologiques, qui ne nous renseignent pas davantage sur le masculin et le féminin que les trisomiques ne le font sur l'intelligence – optent en général pour un sexe ou l'autre. Un hermaphrodite ayant opté pour son côté "homme", et pris à cet effet des doses régulières de testostérone, affirme que s'en est trouvée transformée non seulement sa sexualité mais *sa manière de penser.* En effet, le cerveau trempe dans un bain chimique et hormonal qui agit sur lui en permanence… Mais ce fait nous dérange, parce qu'on a décidé d'avance que la différence justifiait l'oppression. Pour sauver nos idées d'égalité, on continue donc (malgré les preuves du contraire) de proclamer que *l'un est l'autre.*

Loin de signifier qu'il n'y a pas vraiment de différence sexuelle, l'homosexualité *accuse* en général cette différence. Dans la mesure où c'est dans leur intérêt reproductif de semer à tout vent, la plupart des mâles humains valorisent et recherchent spontanément, entre autres, des contacts sexuels ponctuels, impersonnels, alors que la plupart des femelles humaines ne le font pas. Quand hommes et femmes doivent cohabiter, ils réfrènent jusqu'à un certain point leurs penchants respectifs (et bien des gays plaignent leurs congénères *straight*, qu'ils supposent frustrés en permanence), mais quand ils se retrouvent entre congénères, ils y donnent libre cours.

Certes il existe des couples gays monogames sur le long terme, mais c'est l'exception : même s'ils vivent en couple, la majorité des hommes homosexuels aiment à circuler dans les villes, zones, forêts, *back-rooms*, bars, saunas, etc., où ils peuvent, sans se nommer et sans projet de se revoir, se rencontrer, se frôler, se tester, se poser quelques questions de base, se mettre d'accord et se faire jouir de la manière convenue. Qu'ils portent les signes extérieurs du "super-mec", de la "tantouze" ou de l'homme banal et passe-partout, qu'il y ait ou non échange d'argent, le contact furtif leur convient, est adapté à la nature de leur sexualité. Je ne dis pas que les hommes ne savent se comporter *que* comme ça, je dis qu'ils ont tendance, beaucoup plus que les femmes, à se comporter *aussi* comme ça. On n'entend jamais parler de saunas ni de *back-rooms* pour lesbiennes, et celles-ci semblent relativement peu portées sur la pornographie.

En règle générale, autrement dit, *chez les hommes la sexualité conduit parfois à l'intimité, alors que, chez les femmes, l'intimité conduit parfois à la sexualité.* Comme l'écrit Donald Symons, "l'existence d'un grand nombre d'individus exclusivement homosexuels dans les sociétés occidentales contemporaines atteste l'importance de l'expérience sociale dans la détermination des objets désirés par les humains. Mais le fait que les gays adoptent une version exacerbée de tant de comportements des hommes hétérosexuels, tandis que les lesbiennes adoptent une version exacerbée de tant de comportements des femmes hétérosexuelles, indique que d'autres aspects de la sexualité humaine ne sont pas si malléables que cela" (292).

N'en déplaise aux tenants du *queer*, le fait de naître garçon ou fille continue d'être perçu et vécu, partout dans le monde, comme significatif.

Par les sociétés.

Par les garçons.

Par les filles.

Et ce, à juste titre.

Mâles coquets

Le récent film documentaire de Sandrine Loncke, *La Danse des Wodaabe* (2010), s'ouvre par une scène hallucinante : en une seule interminable rangée, plusieurs centaines de jeunes hommes grands, minces et magnifiques, aux cheveux longs et au visage lourdement maquillé, vêtus de longues jupes, sourient toutes dents dehors, minaudent, roulent les yeux, chantent et dansent des heures durant en essayant d'émouvoir un public féminin. Les aînés commentent la danse pendant qu'elle se déroule et, à la fin, de belles jeunes femmes "électrices" avancent en tenant la main gauche près du visage, pour désigner parmi les danseurs celui qu'elles trouvent le plus beau.

Serait-ce l'équivalent africain d'un concours de beauté masculin, où les électrices choisissent leur "Mister" ? S'agirait-il, dans cette peuplade nigériane, d'une interversion spectaculaire des rôles sexuels, prouvant l'arbitraire qui préside à la distribution de ces rôles et constituant un argument en faveur de la théorie du genre ? Pas le moins du monde. La tradition des Wodaabe est une ritualisation de l'échange des femmes, explicitement liée au "mariage-rapt entre lignées", c'est-à-dire à l'exogamie. Le but de la danse *daddo*, explique l'informateur de Loncke, est d'"avoir de nouvelles femmes pour agrandir nos campements". Les hommes d'une lignée dansent toute la journée, ceux de l'autre toute la nuit ; les deux lignées se "volent" ensuite mutuellement des femmes. Une "électrice" ne peut suivre l'élu qu'elle désigne ; inversement, les femmes mariées ne peuvent pas élire ; en revanche, si elles ont un mari laid ou antipathique, elles peuvent chercher à se faire enlever pour le quitter. L'informateur précise que la cérémonie remonte à l'époque de la guerre entre lignages : "Tu voles une femme à son lignage pour qu'elle fasse un enfant dans le tien."

De façon frappante, aucun Wodaabe ne dit, ni n'a l'air de penser, que les jeunes danseurs sont habillés et se comportent "en femmes" ; ils ne sourient pas en roulant les yeux pour imiter les simagrées des jeunes filles mais parce que, pur et sans défaut, le blanc des yeux et des dents traduit la bonne santé ; outre leurs longues jupes d'apparat, ils portent poignards, plumes et coquillages, accoutrements guerriers typiques de tous les peuples sans écriture.

Le mot *coquet* vient de *coq* et, dans nombre d'espèces animales, ce sont plutôt les mâles qui paradent et "en jettent" pour attirer l'attention des femelles ; on n'a qu'à songer aux paons, aux canards, aux lions, aux taureaux… Il en est allé de même chez *Homo sapiens* pendant la majeure partie de son histoire. Etre un homme, un vrai, c'était être fort et intrépide, chasseur ou guerrier, et les hommes se faisaient une beauté pour se préparer à ces activités prestigieuses et dangereuses*.

Dans *Une histoire naturelle de la séduction*, Claude Gudin écrit : "Chez les *Homo* naturés [il désigne par ce terme maladroit les sociétés sans écriture], les parades guerrières et amoureuses imiteront celles des animaux. L'homme se parera de plumes, de coquillages, d'ossements, se peindra tête et corps avec des pigments de couleur. Primate dépourvu des ornements des insectes, poissons, amphibiens, reptiles et oiseaux, il invente en copiant la nature" (134).

Même dans nos sociétés hyperavancées, c'est en tant que soldats ou policiers, symbolisant la force et le droit de tuer, que les hommes consacrent le plus de temps et d'attention à leur apparence physique. Par leur pompe et leur éclat, les défilés militaires

---

* S'il est vrai que, çà et là dans la civilisation occidentale, sous l'Ancien Régime en France par exemple, certains hommes paradaient avec perruque et fards, vêtements de soie et dentelles, ils le faisaient non pour attirer le regard des femmes mais pour signifier, lors des grandes fêtes et cérémonies officielles, leur appartenance à l'élite aristocratique, leur *distinction* par rapport aux hommes du peuple.

n'ont rien à envier aux défilés de mode des grands couturiers... Dans le civil, en revanche, les messieurs chez nous ont nettement perdu de leurs couleurs.

Certes (magazines et magasins spécialisés l'attestent), il existe de nos jours un marché croissant pour la beauté masculine ; aucune raison que le corps masculin ne puisse se transformer lui aussi en commodité ! Mais la disparité demeure impressionnante : à se promener dans les rues commerçantes de nos grandes villes, on pourrait croire que seule la moitié de l'espèce humaine s'habille ; les neuf dixièmes des boutiques de vêtements visent à attirer et à attifer les seules femmes. Et plus un homme monte en puissance, plus son habillement se fera sobre et foncé : sur toute photo de groupe prise dans les hauts lieux politiques, financiers et entrepreneuriaux de l'Occident, les femmes ressortent comme de petites taches brillantes sur le fond sombre et monotone des costumes masculins.

"Si l'on regarde les modes de ces deux derniers siècles, confirme Gudin, il est clair que la femme se pare de couleurs (reproduisant les couleurs des parades mâles chez les animaux), alors que les hommes paraissent bien ternes dans les costumes en noir et blanc ou gris, prenant la place des femelles ternes du monde animal" (142). Pourquoi la coquetterie, la décoration du corps pour attirer le regard de l'autre en vue de le séduire, serait-elle devenue chez nous une stratégie plus féminine que masculine ?

Gudin semble rester perplexe devant son propre constat. "On assiste peut-être à un renversement de tendance biologique" (145), avance-t-il, sans formuler d'hypothèse quant à la raison possible de ce "renversement".

L'explication que suggère Symons me semble bien plus convaincante : "L'importance plus grande accordée à la séduction physique des femmes, par rapport à celle des hommes, s'explique facilement par la nature de la compétition reproductive au cours de l'évolution de l'espèce humaine : la valeur reproductive de la femelle peut être évaluée plus facilement à partir de son apparence physique que celle du mâle. (…) Les femmes entrent en compétition sur le plan de la séduction physique, parce qu'il s'agit du critère essentiellement apprécié par les hommes" (194).

Et les hommes entrent moins en compétition sur ce plan parce que… *les femmes valorisent la sobriété* ! En effet, écrit Symons, "à l'époque contemporaine, leur beauté physique ne reflète pas la valeur reproductrice des hommes. Le fait que, dans nos sociétés occidentales, la plupart des hommes portent des vêtements plus ternes et plus classiques que ceux des femmes ne signifie pas que les hommes ne cherchent pas à se montrer séduisants aux yeux des femmes, car, en fait ce style plaît énormément à la plupart d'entre elles. L'aspect terne est le signe d'un homme responsable, travailleur et qui se consacre à sa famille ; et d'ailleurs, presque tous les critères d'un classicisme de bon goût dans les vêtements masculins sont des indices de statut élevé et d'appartenance aux classes supérieures de la société. (…) L'étalage sexuel, flamboyant et ostentatoire que représente l'aspect voyant d'un homme sera perçu par les femmes comme étant le signe de mœurs volages – trait que peu de femmes trouvent attirant" (194-195).

Sur un corps d'homme, une chemise rose, un foulard en strass, une veste en velours vert pomme, une coiffure apprêtée, le maquillage ou les bijoux dénotent soit l'homosexualité soit le donjuanisme, suggérant que le monsieur songe plus à séduire qu'à travailler... Pas le genre d'homme dont rêve la femme occidentale contemporaine comme père pour ses enfants.

Moins regardantes, les femmes ?

Même si la beauté masculine est loin de nous laisser indifférentes, il est rare que nos organes génitaux réagissent à la simple vue d'un bel homme. Qu'est-ce qui nous attire, alors ? Des signes plus ou moins voyants de stabilité et de fiabilité... mais aussi des indices de puissance (qui n'a plus besoin d'être physique, du moment qu'elle est sociale et financière)... mais encore de subtils signaux chimiques. Le fait est qu'une bonne partie de nos motivations en la matière nous demeurent inconnues.

Les Etats-Uniens, qui adorent faire des expériences, ont étudié les critères présidant aux choix féminins en matière d'hommes[*]. Des centaines de jeunes femmes ont humé des T-shirts portés pendant plusieurs nuits de suite par une dizaine de jeunes hommes, et indiqué d'après l'odeur lequel de ces messieurs leur "plaisait" le plus. De façon statistiquement très significative, elles ont choisi le T-shirt porté par le garçon dont les anticorps étaient différents des leurs, c'est-à-dire... le meilleur père pour leurs enfants (ainsi protégés contre un plus grand nombre de maladies).

Dans une autre expérience, on a montré aux jeunes femmes une série de visages masculins retravaillés à l'ordinateur en gradations : à une extrémité du spectre, un visage taillé à la serpe, très "macho" ;

[*] Ces exemples sont tirés du film *Evolution* (2002), de David Espar et Susan K. Lewis.

à l'autre, un visage aux contours doux, plus "féminin". Cette fois, la réaction des femmes dépendait de la phase où elles se trouvaient dans leur cycle menstruel : hors ovulation, elles préféraient le visage plus doux, l'homme susceptible de devenir un époux sympathique et fiable ; pendant l'ovulation, au contraire, se réveillait en elles la femme des cavernes, pour qui la force physique d'un mâle était la meilleure garantie de survie de ses enfants… et elles trouvaient le macho irrésistible !

De façon générale, le désir féminin est nettement moins tributaire du regard que le désir masculin – comment expliquer, sinon, que tant de sublimes créatures se baladent au bras de vieux bedonnants ? Alors que les représentations de voyeurs sont vieilles comme le monde – on peut penser, dans la tradition grecque, à Actéon puni par Artémis parce qu'il l'a surprise en train de se baigner nue, ou, dans la tradition biblique, aux vieillards qui reluquent Suzanne –, les "voyeuses" sont à peu près inexistantes ; Nausicaa, quand Ulysse se trouve nu devant elle, *détourne* au contraire les yeux. Encore de nos jours, on entend rarement parler de cabines de camionneuses (ou de chambres d'étudiantes) tapissées de *pin-up* masculins.

Mes amis "machos"

L'an dernier, en vue de monter avec eux un spectacle, j'ai interrogé trois amis sur leur rapport à la virilité. Qu'est-ce qu'un homme ? Le naît-on ou le devient-on ? Est-ce un rôle que l'on joue ou un état que l'on revendique ?

Musiciens âgés de trente-cinq à cinquante ans, mes amis ont répondu à mes questions devant un enregistreur. Ils se sont exprimés avec sincérité et générosité, sachant que leurs trois voix seraient, sur scène, fondues en une seule et portées par la mienne. Les propos tenus dans notre spectacle *Le Mâle entendu* ne reflètent sans doute pas le vécu de "l'homme contemporain en général", mais ils coïncident si étroitement avec ce que dénoncent les discours féministes que c'en est troublant. Il serait peut-être bien que, devant ces traits des hommes qui ne relèvent vraiment pas de leur volonté, les femmes puissent trouver une autre réaction que celle de l'Eglise catholique : les culpabiliser à mort.

1. *Il leur arrive de séparer plaisir et sentiment, d'objectiver et de fragmenter le corps de leur amante* : "Ça a beau être une fille qui ne te plaît pas vraiment, tu veux lui trouver de la beauté, alors tu focalises sur une partie de son corps que tu trouves belle. S'enclenche alors un certain «état de tendresse», mêlé à de l'excitation…"

2. *Ils se comportent parfois "comme des animaux"* : "On peut avoir honte d'avoir été trop rapide… d'avoir voulu tout de suite coucher avec une femme, ce qui fait que quand c'est fait, c'est trop tard, il fallait prendre son temps." "Oui. Après, on peut avoir honte d'avoir été égoïste, de n'avoir pensé qu'à son plaisir." "Mais aussi d'avoir eu des attitudes un peu… bestiales, quoi. Le côté bestial, animal." "Aucune pudeur, direct ! Après, tu retrouves tes sens, ta vue, tu regardes, tu te dis : Comment j'ai fait pour être… ? C'est comme si c'était une autre personne, presque."

3. *Ils valorisent parfois la variété pour la variété* : "Tu mets un rat avec une rate, il se jette sur elle, il copule une fois, deux fois, trois fois, quatre fois. Mais au bout d'un moment, son intérêt diminue. Si on introduit une nouvelle rate, il se jette sur elle." "Parfois pour nous aussi, c'est clairement le cas." "J'ai expérimenté la chose : si tu fais l'amour avec

une fille à quinze heures, tu n'as pas du tout envie de refaire l'amour avec cette fille-là quelques heures après. Par contre, avec une autre, à dix-neuf heures, et encore une autre à minuit… Ça m'est arrivé, une fois." "Ça, ça fonctionne." "Mais quand tu es amoureux, ça peut être la même fille trois fois dans la journée." "Est-ce qu'un rat peut tomber amoureux ? Voilà la question."

4. *Ils trouvent l'infidélité d'une femme plus grave que celle d'un homme.* "C'est plus grave parce que les femmes ne font pas ça «pour rire», elles ne vont pas juste coucher avec un autre comme ça… Donc tu te dis que si elles font ça, il y a une implication… Et tu te sens abandonné… ramené à un truc d'enfant. T'es plus qu'un enfant. Si tu n'as plus ce rôle-là, d'être celui qui la comble, tu es un petit garçon qui attend sa maman."

L'explication qu'avance la psychologie évolutionniste de ce "double standard", constaté chez les humains depuis la nuit des temps, me semble assez convaincante : chaque mâle voudrait que *ses gènes à lui*, et non ceux d'un autre mâle, soient transmis à travers sa partenaire sexuelle à la génération suivante. Une génitrice sait avec certitude que l'enfant qu'elle porte dans son ventre est le sien[*]. Le géniteur ne peut avoir la même certitude que si, d'une manière ou d'une autre, il empêche sa femme de circuler librement.

L'homme contemporain est loin de vouloir que chaque coït ait pour résultat un bébé ! – et pourtant, pour se sentir épanoui dans son érotisme, il a clairement besoin de savoir son sperme porteur de vie. Si le rôle que joue la fécondité dans leur sexualité était mineur, anecdotique, les hommes

[*] Mères porteuses à part (elles doivent représenter actuellement quelque 0,0001 % de l'ensemble des mères)…

ayant eu les enfants qu'ils désirent se feraient tranquillement vasectomiser. Au lieu de millions de femmes mariées prenant la pilule chaque jour pendant des décennies (avec les risques parfois graves que cela comporte pour leur santé), il y aurait des millions d'hommes mariés stériles et heureux de l'être. La vasectomie est une opération anodine et efficace ; le problème, c'est qu'elle ampute… les fantasmes. En effet,

5. *La fécondation n'est pas absente de l'esprit de l'amant passionné* : "C'est systématique : quand ça se passe bien, quand je suis bien avec une femme, ce qui est excitant c'est de fantasmer : avoir un enfant, tendresse. Même dans les trucs les plus «baise», il faut qu'il y ait ça. Je projette tout, tout tout – le père, la femme idéale, les enfants, la maison… Y croire totalement… A un moment donné, elles doivent sentir chez moi une intensité particulière, et du coup elles s'accrochent, parce qu'elles s'imaginent… sauf qu'après, c'est fini. Ça s'arrête instantanément, après avoir joui."

6. *Pour des raisons physiologiques (les testicules qui se remplissent de sperme), le désir des jeunes hommes est difficile à réprimer.* "Si on ne baise pas, ça s'accumule… et, à un moment donné, on a besoin de baiser, oui." "Par contre, on peut tenir longtemps, juste avec la masturbation." "Pas indéfiniment, parce que tu as envie de vérité, tu as envie de vivre." "C'est sûrement ce qui explique autant de cas d'homosexualité dans les taules…"

7. *Le regard joue un rôle crucial dans ce désir.* "J'aime bien cette théorie : que l'homme ait dû exercer son œil, pour la chasse." "L'homme est à l'extérieur, c'est le prédateur, etc. On est programmé pour ça, et c'est encore le cas." "C'est agréable aussi, pour un homme, d'être reconnu par d'autres hommes comme prédateur. Je suis très conscient du regard

des hommes sur moi comme «un homme qui regarde les femmes», me reconnaissant par là même comme un homme tout court. «Ouais, moi aussi je regarde les filles», tout ça." "Ça devient tellement automatique que parfois je me dis : Ce n'est pas moi qui regarde, ce sont mes yeux qui regardent." "Ceci dit, je ne bande pas systématiquement quand je regarde les filles dans la rue. Pour qu'il y ait ça, il faut qu'il y ait une dose de concentration supplémentaire. «Focusser» sur elle." "Par contre, une image peut faire un effet érotique immédiat. Plus qu'une femme vivante, en fait." "Oui. Là, c'est l'objet, tu le maîtrises…"

On a beau réitérer sur tous les tons le dogme de leur identité, hommes et femmes persistent dans l'ensemble à n'avoir pas les mêmes désirs. D'après une enquête française récente (Brenot), 63 % des hommes hétérosexuels vivant en couple estiment ne pas faire l'amour assez souvent avec leur partenaire (et ce, quelle que soit la fréquence de leurs rapports) ; 50 % se masturbent plusieurs fois par semaine et 80 % sont stimulés par la pornographie.

Quant aux femmes, 65 % d'entre elles avouent que ce qui leur tient le plus à cœur, dans leur couple, c'est le moment "où l'on s'endort l'un contre l'autre*".

Une théorie irresponsable

Le totalitarisme nazi disait *tout est nature*; le dogme officiel sous le communisme clamait au contraire *tout est culture*; en clair, nous préférons aujourd'hui Marx à Hitler. Tout est construit et donc reconstructible,

* *Le Monde* du 24-25 juillet 2011.

le bébé humain est une *tabula rasa* ; à nous de décider ce que nous souhaitons écrire dessus. Ce même orgueil prométhéen, ce même refus de tout déterminisme, de toute modestie, de toute limite à ce que nous pouvons et devons entreprendre, a caractérisé tous les régimes communistes du XXᵉ siècle et conduit aux catastrophes que nous savons.

Or l'idéal que défend théoriquement notre modernité consiste non à *nier* la nature mais à la *corriger*, en s'efforçant de garantir les droits égaux à tous les humains : les moches comme les beaux, les petits comme les grands, les bêtes comme les intelligents, les sombres comme les clairs de peau, les handicapés comme les normaux. Si tous étaient égaux d'emblée, nous n'aurions pas besoin de défendre cet idéal. On peut admettre l'existence de différences innées sans être nazi, parce qu'on peut en tirer des conséquences différentes des nazis : non pas opprimer/exterminer les faibles mais, tout au contraire, les aider et les protéger. Les femmes doivent être protégées contre les hommes non parce qu'elles leur sont "inférieures" mais parce qu'ils peuvent les violer, et les engrosser contre leur gré ; c'est un fait tout simple, qu'ont compris (et interprété, chacune à leur manière) toutes les sociétés humaines jusqu'à la nôtre.

"Tu as voulu être belle ? Tu mérites donc le désir que tu as suscité. Tu es coquette ? Tu es donc une pute, une allumeuse. Tu t'occupes, te préoccupes de ta beauté ? Ne va pas t'étonner, ensuite, d'être poursuivie, embêtée, voire violée par les hommes. Tu l'auras cherché !" Facile, bien sûr, de tourner en dérision ces clichés qui nous semblent appartenir à un autre âge… mais ils avaient le mérite de reconnaître le rôle que joue dans notre destinée le

fait que nous sommes, entre autres choses, des primates mâle et femelle.

Les champions de l'unisexe et du multisexe nous
ont à ce point anesthésiés qu'on a du mal à reconnaître cette évidence rustique : une belle jeune
femme seule, pour une bande de jeunes hommes
(surtout s'ils ont bu), est l'équivalent d'une biche pour
une bande de loups ; elle provoque le désir de curée.

Que faire de cela ? "Vas-y ma chérie, balade-toi
toute seule sur la 42ᵉ Rue à trois heures du matin,
et, si jamais quelqu'un essaie de t'embêter, dis-lui
que tu as choisi d'être un homme."

Quelle mère, quel père oserait parler ainsi à sa
fille adolescente ?

La "théorie du genre" n'est pas seulement élitiste,
elle est irresponsable.

V

BEAUTÉ ET VIOLENCE

Créatures tenues pour responsables du
désir qu'elles suscitent…

VIRGINIE DESPENTES

Unisexe, version baba cool

À l'âge de quinze ans, vous connaissez enfin quelques mois de relative sérénité face à votre miroir. C'est que votre père a décidé de traîner la famille depuis l'Ouest du Canada jusque dans l'Est des Etats-Unis. C'est l'été 1968, le pays est en pleine guerre du Viêtnam et des mouvements de contestation se multiplient un peu partout ; les assassinats de Martin Luther King et de Bobby Kennedy déclenchent manifestations et émeutes… Paradoxalement, vous échouez dans le coin le plus bucolique et paisible de tout le pays : une petite école privée au fond de la forêt new-hampshiroise. *Peace and love and flowers in the sky.*

Alors que vous aviez été désespérément à la traîne pendant les années de la puberté, n'ayant ni l'argent ni la permission de vous acheter les accoutrements de la séduction féminine, les valeurs "hippies" vous seront favorables. Après vous avoir interdit pendant quatre ans de vous maquiller, vos parents ne peuvent guère protester si vous vous *abstenez* de vous maquiller – même si vous cédez, ici comme là, aux diktats du conformisme adolescent. Côté apparence physique, la mode est désormais au baba cool c'est-à-dire à l'unisexe. Garçons et filles s'habillent et se coiffent pareil : pattes d'ef, chemises et cheveux flottants, zéro maquillage, zéro soutifs, nature, nature, il n'y a que ça de vrai.

Est-ce à dire que s'évanouit comme par magie la concurrence entre filles pour être la plus belle et séduire les garçons les plus intéressants ? Non : les armes de la compétition ont changé, c'est tout. Et c'est vous qui décrochez le gros lot : votre professeur de littérature, de dix ans votre aîné. Parmi toutes les jolies élèves qui gloussent et se trémoussent en sa présence, c'est vous qu'il choisit de déflorer. (Je n'ose pas ajouter "et vous seule" ; à vrai dire cela m'étonnerait…)

"Quand vas-tu jeter aux orties ce soutien-gorge grotesque ?" Voilà, de vos premiers ébats amoureux, une phrase à retenir. Vous n'avez toujours à peu près pas de poitrine, et votre initiateur en matière de poésie et de sexualité ne voit pas pourquoi il se donnerait la peine de vous délester chaque fois de cet objet encombrant (bien que noir), dont la structure métallique assortie de coussinets est censée pousser vers le haut, et ainsi donner l'illusion d'augmenter, le volume lamentable de vos seins.

Oui les modes changent, et la Nouvelle-Angleterre de 1968 n'est pas la vieille Angleterre victorienne de 1868. A bas les miroirs, donc ; à bas, aussi, le narcissisme ; à bas, tant qu'à faire, la jalousie ; vivons comme les hommes primitifs, cultivons la terre, baisons en rond, interdisons-nous d'interdire et le tour sera joué. A vous personnellement, la disparition des miroirs est bénéfique mais l'"amour libre" ne fera pas que du bien car pour certains hommes, pour votre déflorateur en l'occurrence, cela veut dire *réalisation sans retenue de ses fantasmes*. Or ce n'est plus *cool* pour les filles de dire non aux garçons, c'est *cool* pour elles de dire oui, et d'ailleurs comment pourriez-vous refuser quoi que ce soit à cet homme si admirable, aussi grand et intelligent que votre papa ?

Vous serez gravement battue. Pas étonnant : vous étiez jolie, fine et fragile comme une porcelaine, et cet homme a eu envie (comme il vous l'avouera des années plus tard) de bousiller et d'abîmer cette joliesse.

La beauté féminine est *une agression*

Un des effets de la beauté féminine, c'est cela. Elle suscite intérêt, fascination, étonnement, sidération… et hostilité. Une très belle jeune femme, très très jeune et très très belle, c'est une sorte de violence. On la "reçoit" de façon aussi immédiate qu'une gifle ; ça coupe le souffle et provoque une espèce de douleur. "La beauté est une promesse de bonheur", comme dit Stendhal ; les hommes savent que cette promesse a toutes les chances de n'être pas tenue, et ça les fait souffrir. Même quand la belle femme ne fait pas exprès de susciter leur désir, ils la vivent souvent – de nombreux mythes, contes, légendes, textes de l'Eglise et autres fables l'attestent – comme une provocation*. Consciemment ou inconsciemment, ils peuvent l'estimer "coupable" d'être belle.

* Citons ce passage d'un roman de Kingsley Amis, *Lucky Jim* : "La fille était doublement coupable : d'abord d'avoir le look qu'elle avait, ensuite de se montrer devant lui avec ce look."

Au long de l'histoire humaine, que ce soit dans la prostitution ou le mariage, la copulation a été perçue comme *un service rendu par les femmes aux hommes*, une prestation avec contrepartie, en nature ou en espèces. Dans les sociétés traditionnelles : système de la dot, par lequel les jeunes femmes étaient "achetées" à leur famille par la famille de leur futur époux. Dans les classes privilégiées (la cour, l'aristocratie, puis les bourgeoisies grande et petite) : déploiement parfois extravagant de la coquetterie féminine dans divers buts matrimoniaux ou politiques.

Nous trouvons sans doute cette idée archaïque, dépassée, caduque, mais elle ne l'est pas tant que cela. Quelle femme, parmi nous toutes – aussi respectable et intellectuelle, gentille et douce, éduquée et morale voire féministe qu'elle puisse être –, peut jurer ne s'être jamais au grand jamais servie de sa beauté, de ses armes de séduction, de ses charmes féminins pour obtenir, d'un homme, un petit service ? Qu'il porte une valise, remplace un pneu crevé, débouche un évier, ou la gratifie d'une bricole, d'un bijou, d'un repas gratuit, d'une demande en mariage, d'une place au cinéma, d'un voyage, d'une nuit à l'hôtel, d'un plein d'essence, d'une nouvelle voiture, d'un château en Espagne, d'un compliment, d'un sourire, d'une caresse, bref, de *quelque chose* ?

Le sentiment que peut avoir un homme d'être agressé, contrôlé, manipulé dans sa chair par les femmes peut être lié, aussi, au fait d'être *né* de la chair d'une femme, d'avoir été fabriqué à l'intérieur d'un corps féminin. Savoir *objectivement* que le père participe à l'engendrement d'un enfant et y contribue par la moitié de ses chromosomes n'y change rien ; il raisonne encore, *subjectivement*, comme si sa nature charnelle était "la faute" de la mère. Tous les romans de Sartre ou de Kundera reflètent cette conviction aussi absurde que répandue chez les garçons ; il suffit d'ouvrir *La Nausée* ou *L'Age de raison*, *La vie est ailleurs* ou *La Valse aux adieux* pour voir éclater, à chaque page ou presque, le ressentiment d'un personnage masculin devant le pouvoir qu'exerce sur lui le corps féminin.

Chaque femme peut incarner, ponctuellement, *la femme* et déclencher chez les hommes des comportements inquiétants, effrayants, violents*… parce que nous les avons mis au monde, et qu'ils ont du mal à accepter leur absolue passivité d'alors – mais aussi parce que, volontairement ou non, nous détenons la télécommande de leur sexe, et qu'ils détestent se sentir manipulés dans cette affaire-là – "menés, dit mon ami F., non par le bout du nez mais par le bout du pénis".

Alors il arrive qu'ils nous sourient, nous baratinent, nous fassent des mamours… et, soudain, sans prévenir, deviennent mauvais.

Piètre mannequin

Le jour de son dix-neuvième anniversaire, Anaïs Nin écrit : "Je pose pour des peintres qui ont leur atelier près de Washington Square… Je pose dans mon costume de Watteau, en Egyptienne, en Espagnole. Profil droit, profil gauche, et de face. On me tourne, on m'étudie, jusqu'à ce que plus un de mes

---

* En France, selon les statistiques les plus récentes, une femme meurt tous les trois jours sous les coups de son compagnon.

gestes, plus une de mes expressions ne leur échappe. (...) J'ai posé pour un sculpteur dans des robes blanches flottantes. Il me mesure avec toutes sortes de compas et me dit que mes proportions sont bonnes. Le moment le plus difficile vient ensuite. Ils mettent alors un disque sur le phonographe et me demandent de danser – ce qui n'est qu'un prétexte pour me tenir dans leurs bras et essayer de m'embrasser. A ce moment-là leur visage change. Ils me lancent des mots cyniques et leur expression n'est plus la même" (24 février 1922).

Et quelques mois plus tard : "Quand je pose, il faut que je sois continuellement sur mes gardes. Il faut sans cesse que je lutte pour affirmer mon indépendance, pour leur faire comprendre, sans trop les blesser, que je ne me sens pas flattée par leurs compliments – au contraire ! (...) On me lance des regards ironiques et on me donne moins de travail. Mais ça m'est égal" (1er juillet 1922).

Non seulement Nin est encore vierge à cette époque, mais elle ignore à peu près tout de l'érotisme : quand, quelques jours après cette dernière entrée dans son journal, elle embrasse le jeune banquier Hugh Guiler, c'est le premier vrai baiser de sa vie. Elle se fiance avec Guiler et, aussitôt après, prend un emploi de mannequin modèle dans une boutique de prêt-à-porter. Las ! elle découvre que les clients de la boutique sont nettement moins subtils que les peintres. "Les peintres me manquent, leur gentillesse, leurs ateliers, la vie de bohème ! Ici, les clients se passent la langue sur les lèvres, se frottent les mains et m'invitent à dîner (...) Je souffre. Jamais la vie ne m'a semblé aussi laide. Je découvre des choses dont j'ignorais l'existence. Je perds mon innocence, mon ignorance du mal et de la bassesse. Maintenant je connais la vie, la nature humaine, et l'homme. C'est comme une jungle d'hommes au regard vicieux, qui n'attendent qu'une occasion pour me toucher, me retenir (…). Je ne devrais pas prendre tout cela au tragique, mais c'est trop, trop, trop en une seule année, et je n'ai pas encore appris à ne pas être choquée par la grossièreté" (16 juillet 1922).

Décidément, Anaïs n'est pas assez accommodante ; son employeur lui manifeste son mécontentement. "Il m'a accueillie par ces mots : «Dites-moi un peu, on vous paie pour être aimable avec les clients. Je leur ai dit qu'avant vous posiez pour des peintres. Quand ils vous invitent à dîner, vous devez accepter. Sinon, vous perdrez votre travail»" (8 août 1922).

Anaïs Nin perd donc son travail.

Piètre hôtesse

Vous-même, à dix-neuf ans, également à New York et à la recherche de travail, tombez un jour sur une petite annonce pour un emploi d'"hôtesse". Vous n'êtes pas sûre de savoir de quoi il s'agit, mais, au cours de l'entretien d'embauche, vous comprenez rapidement qu'il s'agira de vous installer au bar en faisant semblant d'être une cliente, et de laisser des hommes vous offrir à boire. De mèche, le serveur du bar vous apportera de simples Coca en faisant payer au client des *rum and Coke*.

La question de l'argent est cruciale : c'est l'homme qui l'a. Vous, vous avez la beauté et la jeunesse. Votre employeur lâche en passant que vous êtes très jolie, et qu'il vous suffirait de perdre quelques kilos pour travailler comme serveuse *topless*, poste bien mieux rémunéré que celui d'hôtesse. Vous répondez que vous vous contenterez, dans l'immédiat, d'hôtesse…

Et plus si affinités, bien entendu. Si affinités, vous avez le droit de faire monter les clients dans une chambre au-dessus du bar et de les délester d'encore quelques billets de banque en échange d'autres fausses prestations. Dans ce cas vous ferez semblant, non qu'il y a du rhum dans votre Coca mais qu'il y a du désir dans votre étreinte. Vous comprenez soudain une chose nouvelle : que vous y participiez ou non, que vous soyez au courant ou non, ce genre de *deal* se négocie un peu partout dans le monde tous les soirs que Dieu fait, entre d'innombrables hommes qui ont de l'argent et du désir, et d'innombrables jolies filles fauchées.

Oui, vous venez de faire la même découverte déprimante qu'Anaïs Nin : il circule en permanence une quantité indéfinie, infinie, de désir masculin anonyme. Derrière les couples, malgré le mariage, au-delà, à côté, en dépit des lois et des coutumes et des structures et des traditions familiales mises en place par votre société comme par toutes les sociétés, des hommes errent innombrables, avides de faire l'amour avec des inconnues, de préférence jolies et jeunes. Une fois que vous avez compris cette chose-là, vous ne pourrez plus l'oublier.

Vous abandonnez vite, au bout d'une seule soirée.

Vous perdez le sommeil, et le désir.

La beauté féminine suscite *l'agression*

Innombrables sont les femmes ayant découvert jeunes, trop jeunes, le potentiel de danger que générait leur beauté. Etrangement, elles ont tendance à l'oublier. Moi aussi, quand mes amies me racontent ces histoires je les oublie, alors j'ai commencé à les noter. En voici un échantillon, recueilli en 2010 en l'espace d'un seul petit mois.

S. m'avait sûrement déjà raconté, par exemple, l'histoire de son initiation sexuelle quand elle avait six ans. Le monsieur en imperméable qui, dans l'immeuble où elle habitait, après la fermeture des portes de l'ascenseur, a sorti son engin et le lui a montré, longuement, en appuyant sur les boutons pour que l'ascenseur monte et descende, monte et descende… La petite S., paniquée, le cœur battant follement, a été libérée enfin par un voisin ayant pris l'ascenseur. N'osant rien dire à sa mère, elle a raconté l'histoire à son frère, qui l'a racontée à la mère, qui lui a passé un savon *parce qu'elle l'avait racontée*. La honte de l'agression est donc retombée sur elle.

Dans les années qui ont suivi, S. a rencontré encore beaucoup d'exhibitionnistes…

En première année de fac à Paris, âgée de dix-huit ans, elle sortait avec un étudiant togolais. Discussions politiques, cinéma, cafés, puis : "Tu veux voir ma chambre ?" Elle acquiesce. C'est une chambre d'hôtel rue Gît-le-Cœur, elle ne se méfie pas mais, aussitôt la porte fermée à clef, le jeune homme se jette sur elle et, dit S., "c'est l'horreur, la boucherie, comme s'il m'avait défoncée avec un outil métallique". Elle sort de l'hôtel hagarde, avec une douleur cuisante à l'entrejambe et une lourdeur épouvantable dans le ventre. Mais la semaine d'après, et c'est peut-être là le plus intéressant : pour prendre sa revanche, pour ne pas demeurer totalement passive, elle décide de *vouloir* la chose et retourne faire l'amour avec cet homme, cette fois par un acte de sa propre volonté.

V. aussi a été déflorée par un viol – beaucoup plus jeune que S., à seulement treize ans. Bêtement, rapidement, sans presque qu'elle comprenne ce qui se passait, sur le parking d'une boîte de nuit à l'île de Ré. Pendant des années, elle en a perdu la capacité de se protéger. Elle n'avait plus d'"antennes" pour lui signaler les situations à risque.

C. m'a raconté sa rencontre avec le *serial killer* Guy Georges, dans le 3ᵉ arrondissement de Paris. L'homme l'a suivie dans la rue du Renard, puis dans la rue au Maire. S'efforçant de dissimuler sa panique, elle dépasse volontairement la maison de l'ami chez qui elle loge, puis y revient en courant. Ayant par miracle gardé en mémoire le code, elle ouvre la porte, folle de peur, puis tente de la refermer. L'homme se jette contre la porte de toutes ses forces – et, même si elle réussit à la refermer juste à temps, l'échange de regards entre eux à cet instant déclenche chez C. une crise de larmes qui dure toute la nuit. "Dans les yeux de cet homme j'ai vu ma mort", dit-elle. Plusieurs années et plusieurs meurtres de femmes plus tard, Guy Georges est enfin arrêté et écroué ; sa photo est publiée dans le journal. En voyant son visage, ce n'est pas le cerveau de C. mais son corps qui le reconnaît ; effondrée, elle tremble à nouveau pendant des heures.

Les beautés professionnelles – prostituées et stars du cinéma – sont des cibles de choix pour l'agressivité masculine. La vie de Jean Seberg, moins connue que celle de Norma Jean Baker *alias* Marilyn Monroe, est exemplaire à cet égard.

La tragédie Seberg

Jean naît à Marshalltown, dans l'Iowa, en 1938, dans une famille protestante très croyante et pratiquante. Son père, pharmacien, a le souci des autres ; quand ses malades sont pauvres il paie parfois leurs médicaments de sa poche. Petite déjà, scandalisée par le racisme de son pays, Jean adhère à l'Association nationale pour l'émancipation des gens de couleur, fondée par le révérend docteur Martin Luther King qui se trouve être un des héros de son père... A peu près au même moment, on commence à lui dire qu'elle est jolie.

Que faire avec ça ? Comment rendre la beauté *utile* ? La petite Jean apprend à danser, à sourire, à charmer ; elle désire par sa grâce enchanter les cœurs. Peu à peu, avec l'encouragement de sa prof de théâtre au lycée, il lui vient l'idée de devenir actrice. Elle jubile à l'idée de se glisser dans le cœur des foules, de les faire rire et pleurer... En 1955, le grand Otto Preminger la choisit parmi 18 000 candidates pour le rôle de Jeanne d'Arc. Il la prévient qu'il va jouer sur les contrastes : femme et soldat, fragile et forte, peau de bébé et armure de chevalier...

C'est avec Preminger que Jean Seberg rencontre pour la première fois, à dix-sept ans, le caractère destructeur du désir masculin. Dès le début du tournage, le réalisateur l'insulte et la bouscule, et en tournant la scène du bûcher il la brûle pour de vrai – aux mains, aux genoux, à l'estomac ; sa "peau de bébé" en gardera des stigmates permanents.

Trois ans et quelques tournages plus tard, alors qu'elle a épousé entre-temps l'avocat François Mareuil, elle tourne avec Jean-Luc Godard *A bout de souffle*, film qui fera d'elle – avec ses cheveux blonds coupés très court – la petite Américaine quintessentielle, et l'égérie de la Nouvelle Vague française. Lors du tournage avec Godard, Seberg instaurera une règle à laquelle elle ne dérogera jamais par la suite : pas de nudité devant les caméras, même dans les scènes d'amour.

Elle tient à contrôler, à rester maîtresse de son corps. Elle croit encore que ce métier d'actrice peut être simple, qu'il est possible pour une femme, même très belle, de s'entendre avec les hommes. Elle se trompe. Les tournages se suivent et elle en sort chaque fois un peu plus esquintée, sans savoir au juste ce qu'on lui a volé, cassé ou grignoté...

Puis vient Romain Gary, ce géant. Globe-trotter polyglotte qui semble tout savoir et tout comprendre. Grand, fort, mûr (il a quarante-cinq ans et elle vingt et un, quand ils se rencontrent en 1959), c'est pour Seberg une sorte de dieu. Corps et âme immenses, contre lesquels elle pense pouvoir se blottir. Voilà un homme qui la protégera des autres hommes, l'aidera à retrouver son innocence et le rêve de son adolescence : faire le bien, améliorer le monde. Gary l'accompagne sur nombre de ses tournages mais il ne peut être partout. Pendant le tournage de *Lilith* en 1963, Warren Beatty profite de certains plans pour... pour... oh, c'est tellement toujours pareil...

Mais Seberg – comme Arcan, comme Nin, comme tant et tant d'autres belles femmes un tant soit peu *insécures* – comprend aussi le pouvoir que sa beauté lui confère : "Je veux laisser la marque de mon désir sur tous les humains que je croise, déclare-t-elle en jouant le rôle-titre dans *Lilith*. Si j'étais empereur romain je le ferais avec mon épée ; si j'étais poète, avec mes mots ; étant Lilith, je ne peux le faire qu'avec mon corps." A ce jeu-là, on peut non seulement perdre mais *se* perdre, car le pouvoir de la beauté est plus incertain, plus fugace, plus volatil encore que le pouvoir politique...

Encore et toujours, Seberg trouve refuge dans le malheur du monde. Quand Gary l'emmène avec lui dans ses voyages en Europe de l'Est, elle est choquée par la misère et la grisaille des sociétés communistes ; aux Etats-Unis, les chansons militantes de Baez et Dylan lui rappellent que son pays est en guerre. Auprès de telles abominations, que pèsent ses petits malheurs personnels ? Mais on dirait qu'à travers les autres, c'est elle-même qu'elle cherche à nourrir – ou plutôt : qu'elle ne parvient à oublier sa propre faim qu'en s'occupant des causes politiques.

Gary se moque d'elle. Le militantisme de sa jeune épouse devient du grain à moudre pour les livres du romancier. Dès 1966 il publie *Les Mangeurs d'étoiles*, l'histoire d'une petite idiote idéaliste américaine aux cheveux blonds et courts qui, sous prétexte d'aider les opprimés, s'éprend d'un révolutionnaire latino-américain qui l'exploite et la manipule de façon éhontée ; une fois au pouvoir, l'amant romantique se transforme en dictateur sanglant.

Oui, chez Gary aussi, pas de la même manière que chez les autres mais quand même, la fragilité de Seberg suscite le sadisme, surtout lorsqu'il devient lui-même réalisateur et la dirige. Percluse de honte lors de la projection officielle du film de Gary *Les oiseaux vont mourir au Pérou*, qui la montre sous les traits d'une nymphomane frigide, Seberg s'écroule, quitte la salle avant la fin du film et se met à courir au hasard dans Paris…

De nouveau, l'actrice se distrait de son malheur en se focalisant sur celui des autres. Pétitions, manifestations, dons aux œuvres ; si elle doit être célèbre, qu'au moins sa célébrité serve à quelque chose, que sa notoriété et sa richesse aident les gens à transformer le monde ! Elle fait la connaissance de Hakim Jamal, un membre des Black Panthers, et lui dit oui pour tout. Oui pour devenir son amante, pour lui donner de l'argent, pour qu'il la batte… Pendant ce temps, Gary publie en feuilleton dans le magazine *Life* "White Dog" ("Chien blanc"), récit de sa vie auprès d'une illuminée des bonnes causes, une épouse pleine d'illusions et de

bonne volonté qui se laisse exploiter par des mili-
tants du Black Power, machos sans scrupules.

Le problème, pour une femme jeune et belle qui
a envie de faire le bien, c'est que les causes politiques s'incarnent toujours dans leurs leaders, et
que ces leaders sont toujours des hommes et presque
toujours des machos. Les féministes ont beau mar-
teler depuis 1968 que le personnel est politique ;
dans la vie de Seberg c'est le politique qui s'avère,
d'emblée et violemment, personnel. Il s'insinue dans
son lit, dans son cœur et dans son compte en banque. Il la dépouille, la spolie, et finit par la détruire.

Pour les hommes, aucun risque de ce genre. A la
même époque, Jean-Paul Sartre peut coucher avec
qui il veut et soutenir les causes qu'il désire ; les
deux élans n'étant pas imbriqués, il n'en est pas atteint dans son intimité. Seberg ne parvient pas à
cloisonner les choses. La voilà éparpillée parmi des
rôles nombreux et contradictoires : pute et bonne
sœur, superstar et loque, jeune beauté à la pureté fragile et sale communiste qui couche avec des nègres…
Elle ne sait gérer cette multiplicité. Romain Gary tirera de leurs conflits et de leurs heurts une bonne
douzaine de romans ; elle, restera là, les bras bal-
lants, de plus en plus fragile et fatiguée.

La dernière décennie de sa vie est un enchaînement de malheurs innommables : hospitalisations
psychiatriques, persécution par le FBI, grossesse
marquée par une tentative de suicide, perte de l'enfant, nouvelles tentatives de suicide et hospitalisations, cures d'amaigrissement, électrochocs, délires,
amants violents, dérives, désespoir, et enfin, au mois
d'août 1979, suicide "réussi". Elle a quarante ans.

D'un bout à l'autre de son existence, tout ce dans
quoi Jean Seberg s'est engagée a été déformé par

le fait que les hommes la désiraient avec violence. Les sévices subis aux mains de ses amants laissaient sur le corps de l'actrice des traces permanentes. Leur évocation dans le roman autobiographique de son fils Diego Gary, *S. ou l'Espérance de vie*, fait frémir.

Pour qu'une femme se laisse endommager à ce point, pour que se répètent ainsi au long de sa vie d'adulte des situations d'exploitation et de violence, il ne suffit pas qu'elle soit très belle, il faut aussi qu'elle ait été esquintée dans son enfance. Sans savoir de quelle manière (aucune de ses biographies que j'ai lues n'aborde la question en profondeur), je me dis que ce doit être le cas de Seberg aussi ; sans cela, sa tragédie est incompréhensible.

Femmes sacrifiées

Une femme qui accepte d'incarner un temps "la Belle Femme" sous une forme ou une autre adoptera souvent, de son propre chef ou par la décision de l'homme qui gère sa carrière, un pseudonyme. Pour plaire à tous les hommes, elle devra se montrer capable de changer aussi de rôle et de personnalité à tout bout de champ – et cela la fragilise, bien sûr, car notre nom, notre rôle et notre personnalité nous enracinent dans le réel.

Lulu, l'héroïne de la pièce éponyme de l'auteur dramatique allemand Frank Wedekind, assume allègrement la multiplication des prénoms qui la désignent. Pour son premier mari Goll elle est Ellie ou Nellie (diminutifs de Helena) ; pour son deuxième mari le peintre Schwarz elle se nomme Eve ; Schöning son protecteur l'appelle Mignon mais avoue : "J'ignore comment elle se nommait à l'origine" ; son client Koungou Poti l'appellera Daisy. De tous les personnages de la pièce, seule la comtesse Geschwitz, qui l'aime, appelle la jeune femme Loulou. Comme l'a écrit Alfred Polgar en 1903, "le malheur est que Lulu, qui porte x noms, pourrait aussi jouer x rôles dans la comédie sexuelle : mais elle ne peut que les jouer tous, pas un isolément*."

Partie de la misère, Lulu connaîtra un temps la gloire et la richesse, avant de retomber dans la prostitution la plus sordide : à ma connaissance *Lulu* est la seule pièce du répertoire du théâtre mondial à montrer la vie ordinaire d'une pute de bas étage, confrontée au tout et au n'importe quoi de la clientèle, depuis la timidité jusqu'à la folie meurtrière en passant par les perversions, obligée de s'adapter encore et encore pour que chacun "débourse". Débarquera enfin dans sa mansarde misérable le client de trop : Jack l'Eventreur, qui découpera son sexe et l'emportera dans un bocal pour sa collection. Mais ce dénouement tragique est annoncé dès le deuxième acte de la pièce, quand Schwarz lui lance : "Ton sort est d'être sacrifiée, c'est tout. Accepte-le… Accepte ta condamnation à mort."

Pourquoi, tout au long de la pièce, Lulu accepte-t-elle d'être ligotée et battue, pourquoi est-elle si soumise, si prête à obéir à n'importe quel homme ? Pourquoi, à la fin, fait-elle tout pour retenir un client visiblement dérangé et dangereux, allant jusqu'à le payer elle-même pour qu'il reste avec elle et lui fasse l'amour ? Son désir n'est-il pas tout simplement suicidaire ? et si oui, pourquoi** ?

---

* Notes du programme pour *Lulu. Une tragédie-monstre*, mise en scène par Stéphane Braunschweig avec Chloé Réjon dans le rôle-titre, La Colline, 2010.
** On pourrait poser la même question au sujet de Nelly Arcan : est-ce parce qu'elle se détestait qu'elle s'est faite pute, ou parce qu'elle s'est faite pute qu'elle se détestait ?

A la différence de Pabst, qui adaptera plus tard cette histoire pour le grand écran en faisant de Lulu une instance du Mal romantique, Wedekind suggère une réponse à cette question : toute petite, Lulu a subi sévices et viols aux mains de Schigolch, l'homme qui l'avait ramassée dans le caniveau, "son père".

L'année dernière, on a appris qu'un étudiant britannique qui faisait une thèse sur Jack l'Eventreur avait lui-même assassiné plusieurs prostituées. Quand une femme "de la rue" est retrouvée morte, personne ne s'en étonne.

En d'autres termes, chez nous aussi, et pas seulement dans les pays exotiques où se pratiquent les crimes "d'honneur", la mort est l'horizon de toute prise de risque féminine en matière de sexualité.

Enfance de chacun, et de l'espèce

Fort sombre tout cela. Aucune explication, si elle est simple, ne sera la bonne. Fort sombre et difficile à démêler, car surgi du fin fond de l'enfance… celle de chacun et celle de l'espèce.

Un homme peut s'acharner avec violence sur le corps d'une femme parce qu'il a été battu par sa mère, humilié par une professeur ou par la société, rejeté par une amante adorée… Mais, s'il a la possibilité de le faire impunément, par exemple dans une situation de guerre, il peut aussi agresser des femmes d'une manière que, plus tard, il trouvera lui-même choquante et incompréhensible – et là, on a probablement affaire au passé de l'espèce.

Une femme peut accepter voire *rechercher* la violence sexuelle des hommes parce qu'elle a pris l'habitude, petite, de se soumettre à l'autorité de son père, de son frère ou d'un autre homme de son entourage, qu'elle adorait. Elle voudra protéger cet homme de toute souillure, y compris dans son propre esprit. *Papa m'aime, j'aime papa, papa me frappe, même pas mal.* Mais elle peut aussi se découvrir, dans les situations de violence conjugale, une passivité incompréhensible pour elle-même, une tendance à la soumission qu'elle trouve veule et dégoûtante. Dans ce cas, il n'est pas impossible que l'espèce entre en jeu.

Le problème c'est que rien de tout cela ne se dit : on n'essaie même pas de l'expliquer car on réussit, "théorie du genre" aidant, à ne pas le voir.

VI

CHANGEMENTS DE CODE

*Je veux vivre dans un endroit propre
– un endroit où les gens ne s'embrasse-
raient pas dans la rue, où les hommes
ne me suivraient pas en murmurant
des invitations dégoûtantes, où les femmes – tant de femmes – ne se pro-
mènent pas avec des lèvres cramoisies
et des expressions qui n'éveillent en moi
que dégoût.*

ANAÏS NIN

Lumières de l'exil

De nos jours, la "liberté" d'un pays se mesure au droit qu'ont les hommes de ce pays d'exhiber publiquement la chair nue des femmes de ce pays.

Quand j'ai fait le trajet entre Beyrouth et Damas voici une petite décennie, deux types de panneaux géants alternaient au bord de la route : photos d'hommes politiques, le plus souvent enturbannés, portant des lunettes fumées ; photos de femmes en petite tenue. C'est ainsi qu'à l'époque les Libanais narguaient les Syriens : "Ici nous sommes libres !" se vantaient-ils…

L'auteur anonyme d'*Une femme à Berlin* rapporte qu'une fois, alors qu'elle attendait dans un bureau à Moscou, elle s'est mise à feuilleter des magazines allemands et américains et s'est aperçue "qu'ici et là un morceau de page avait été arraché à la hâte – des réclames de sous-vêtements féminins, de gaines et de soutiens-gorges. Les Russes, ajoute-t-elle, ne connaissent pas ce genre d'annonces. Leurs revues sont sans *sex-appeal*. Sans doute ces photos publicitaires dénuées d'intérêt et que l'homme occidental ne remarque même plus étaient-elles ressenties par les Russes comme de la pornographie pure" (158).

L'expatriation fournit à ceux qui le vivent, outre des vertiges existentiels à répétition, une excellente occasion de comprendre à quel point, même dans les domaines comme la drague et le flirt qui semblent relever du choix individuel et donc de la vie privée, nos comportements sont façonnés par la culture qui nous entoure. Une femme qui passe d'une culture à une autre peut être impressionnée par les changements de code à l'endroit de sa beauté ; elle s'y adaptera tant bien que mal.

Il y a quelques années, une de mes jolies étudiantes américaines aux longs cheveux blonds a manqué se faire lyncher au Maroc parce qu'elle avait cru bon d'aller se balader dans les champs, vêtue d'un short très court et d'un débardeur très échancré. Un groupe de paysans l'avaient poursuivie en brandissant des fourches. Autant que terrorisée, elle a été *éberluée* par l'agressivité de leur réaction à sa présence. Elle n'avait pas conscience du fait qu'aux yeux des paysans marocains, c'était sa nudité nonchalante qui constituait une agression.

Cette jeune Américaine n'était qu'en vacances au Maroc, et n'a évidemment pas décidé de s'y installer. Mais que se passe-t-il lorsque, exilée ou expatriée, une femme est *obligée* de s'adapter à un nouveau regard sur son corps ? Ici encore, Anaïs Nin est un cas d'espèce fascinant.

Nin devient "française"

C'est à dix-neuf ans que Nin épouse Hugh Guiler, son banquier de fiancé. Quand celui-ci décroche un emploi à Paris deux ans plus tard, elle est remplie d'appréhension. La lecture du roman d'Anatole France *Le Lys rouge* la choque profondément, et en se préparant à quitter New York elle se dit que les grivoiseries françaises, l'omniprésence du sexe à Paris vont heurter son puritanisme… Elle n'a pas tort !

Offusquée par les manières séductrices des Françaises, Nin s'enferme à la maison. Là, tout en jouant la parfaite épouse de banquier, elle écrit des nouvelles pour des revues littéraires… qui s'empressent de les rejeter. Deux ans après son arrivée à Paris, elle écrit : "Peut-on être plus proche de l'animal que les Français, malgré leur vernis de civilisation ? Existe-t-il un humour plus vulgaire, aussi humiliant ? Leurs comédies semblent imaginées par des chiens qui se poursuivent dans la rue" (7 mars 1926). Ou encore : "Paris est à la fois le cabaret et le tribunal de grande instance du monde. Pourquoi vivre près de la laideur, alors qu'il existe des villes comme Florence, et même comme New York, où le mal est au moins tenu secret, où les hommes et les femmes cachent leur perversité au lieu de s'en vanter et de mettre en avant leur sensualité ?" (27 avril 1926.)

Sa sensualité à elle, elle la réserve pour son mari… mais, apparemment, Hugh n'en est que moyennement reconnaissant. "Les femmes veulent tout l'amour d'un homme, écrit Anaïs, mais désirent néanmoins être admirées par les autres. C'est pourquoi elles dévoilent autant leurs formes, si bien qu'il n'y a plus rien de secret réservé au mari. Mais si une femme ne se montre pas et se garde pour son mari, elle est en droit d'espérer que son mari n'ira pas admirer

la nudité des autres femmes dans les magazines"
(27 novembre 1926).

Ah ! ces magazines !

Nin renaît à partir de l'hiver 1927, à l'approche
de ses vingt-cinq ans. Plusieurs facteurs contribuent
à cette renaissance : sa lecture persistante de la littérature française, l'éveil de ses sens grâce à des
cours de danse espagnole (art où elle excelle), et un
engouement pour l'écrivain et éducateur américain
John Erskine. Un temps, elle balance encore entre
l'ancienne et la nouvelle manière de voir : "Mon âme
puritaine se révolte contre cette nouvelle vie faite
d'impulsions physiques. Je me sens mal parce que
je vis avec mon corps, parce que je touche désormais la vie non seulement avec mon esprit mais avec
ma peau, mon sang, mes nerfs. Ce contact physique
avec la vie m'exalte et me révolte en même temps."
Elle veut encore croire que, si elle permet à son professeur de flamenco de la toucher, c'est qu'elle a
envie de "comprendre ses mains". Le 8 décembre
1927 elle déclare : "La grande bataille de l'année qui
vient sera contre la Vanité !" Mais elle va la perdre,
cette bataille ; à partir de cette année-là elle embar-
quera dans la quête passionnée du sens dans la sensualité… et deviendra, du coup, "Anaïs Nin".

Le rapport de la femme à son image, découvre-
t-elle, est spécifique, différent du rapport de l'homme
à la sienne. La femme *est* sa propre image. "Les
femmes se voient comme dans une glace, dans les
yeux des hommes qui les aiment. (…) J'ai vu dans
chaque homme une femme différente, ajoute-t-elle
– et une vie différente" (17 avril 1928). Nin dispose
dorénavant de deux miroirs : à celui de son âme,
le *Journal*, est venu s'ajouter celui, très matériel, devant lequel elle vérifie ses bijoux de luxe, ses maquillages extravagants, et les étonnants habits qu'elle
dessine elle-même : robes, turbans et capes.

Or la beauté confère à celle qui l'arbore une destinée étrange, pas forcément enviable : celle de
plaire à *tous* les hommes. Plus qu'une femme ordinaire et nettement plus qu'un homme, elle a la possibilité de franchir toutes sortes de frontières (groupe
d'âge, milieu social, nationalité...), et, partant, de
se rendre compte du caractère non fixe du soi. "Je
commence à comprendre que tout le monde est
un mélange, écrit-elle, que je suis moi-même le pire
mélange de tous, et que personne n'y peut rien"
(8 décembre 1927).

Quelques petites années plus tard, pendant la crise
économique, Nin arrondira ses fins de mois en envoyant à un mystérieux collectionneur (qui la ré-
munère à la ligne) les nouvelles de *Vénus erotica*.
Encore un peu plus tard, elle aura pour amants des
célébrités du monde littéraire et intellectuel : Henry
Miller, Otto Rank, Antonin Artaud... A la fin de sa
vie, ayant publié la version non expurgée de son *Journal*, elle deviendra célèbre à son tour pour la fran-
chise et l'éloquence de ses descriptions érotiques.

Représentante suprême du narcissisme féminin,
Anaïs Nin ? Si l'on veut. Mais, étant donné que beauté
et séduction ont été érigées en prérogatives féminines, on peut tout de même se féliciter de ce qu'une
femme, une fois, ait eu la patience, la discipline,
l'honnêteté et le talent d'en étudier les effets, dont
toutes les femmes profitent et pâtissent à tour de
rôle.

Rien de tout cela ne serait arrivé si elle n'avait
quitté les Etats-Unis pour la France.

La cible désarçonnée

Habituée aux codes puritains des Etats-Uniens (qui,
du moment que l'on dissimule à leur vue les organes

génitaux et les bouts de seins, semblent singuliè-
rement indifférents à l'étalage de la chair nue,
cuisses adipeuses, bourrelets dégoulinants, mollets
de femmes poilus, poitrines velues d'homme), vous
êtes surprise, en débarquant à Paris un demi-siècle
après Nin, âgée vous aussi de vingt ans, de ne pouvoir faire trois pas dans la rue sans être interpellée.

A vrai dire vous attirez *plus* d'attention que les
jolies Françaises parce que la couleur de vos yeux,
le style de vos habits, votre façon de bouger et de
rencontrer les regards vous désignent aux yeux des
hommes comme une "étrangère". Et en raison de ses
mille petites bourdes involontaires, une étrangère
est une cible encore plus vulnérable qu'une femme
du cru, donc plus souvent visée.

"Vous êtes toute seule ?"

Dans un premier temps, cela vous désarçonne.

Dans un deuxième temps, vous vous mettez en
couple, ce qui vous protège un an ou deux des re-
marques des autres hommes dans la rue. Votre ami,
intellectuel de gauche et grand spécialiste du marquis de Sade, vous initie aux arcanes de l'érotisme
noir. L'érotisme noir est l'une des grandes spécialités françaises. Il partage deux traits avec le foie gras :
d'une part il est pour l'élite, et d'autre part, même
s'ils savent que ça fait souffrir, ceux qui l'aiment le
trouvent irrésistible.

Votre propre attitude envers l'érotisme noir est
analogue à celle des protestants envers les catholiques : encens, bougies, martyres de saints, extase
du corps torturé… tout cela est certes pittoresque
mais vous avez du mal à le prendre au sérieux et
quand vous le prenez au sérieux ça vous paraît
malsain pour ne pas dire oppressant, en tout cas
incompatible avec les valeurs politiques que pro-
fessent par ailleurs ces mêmes intellectuels de
gauche.

Vous commencez à assister aux réunions du mouvement des femmes.

Des amis vous invitent à dîner avec le romancier K. Pour préparer la soirée, vous lisez son livre le plus connu, roman dans lequel le narrateur propose à ses amis de faire tout ce qu'ils veulent avec le corps de son épouse. Vous êtes troublée par le texte, physiquement et moralement, les deux eaux troubles coulant en sens contraire.

K. vous trouve mignonne et vous fait du pied sous la table. Ayant entendu parler de votre implication dans le mouvement des femmes, Mme K. vous prend à part et déverse dans votre oreille, à voix basse, à toute vitesse, des flots de malheur. Vous ne vous rappelez plus le détail mais, en clair, pour elle, être offerte en pâture aux amis de son mari n'est pas bien drôle. Aujourd'hui, quarante ans plus tard, vous l'écrivez enfin : *pour elle ce n'était pas drôle.*

Divin marquis oblige, votre ami gauchiste vous entraîne dans des expériences à partenaires multiples, ce qui finit rapidement par vous lasser et vous agacer. Un beau jour à quatre heures du matin, vous sortez en trombe d'un appartement où se déroulent des étreintes alambiquées. Ile Saint-Louis, vous vous faites plaquer contre un mur par la main droite d'un Africain géant dont la main gauche s'affaire autour de sa braguette. La puissance de votre cri le surprend et vous profitez de son désarroi momentané pour déguerpir.

Votre couple dûment cassé, vous vous installez pour la première fois seule dans un appartement, votre fragilité exacerbée par le fait d'avoir, à vingt-deux ans, déjà raté deux histoires d'amour... Vous assistez à plusieurs réunions féministes par semaine et commencez à militer pour de vrai. Chaque jour, chaque nuit, chaque matin, chaque soir, quand reprend la

sempiternelle et pauvre litanie des dragueurs pari-
siens – *Vous êtes toute seule ?* –, vous bouillonnez
de rage.

Cela ne fait pas le moindre doute que les Euro-
péennes ont plus de liberté que les Afghanes, mais
elles le paient : en risques, en incertitudes, en angoisses et en stress divers. Il peut arriver des drôles
et des pas drôles de choses à une jolie jeune femme
qui marche seule dans les rues de Paris. Elle ne sait
jamais à quoi s'attendre. Elle peut être admirée,
agressée, ou les deux, par des hommes appartenant
à tous les groupes d'âge, ethnies et milieux sociaux.
Adolescents boutonneux, hommes d'affaires, clodos,
commerçants, vieillards : tous éprouvent le besoin
de lui témoigner leur approbation et leur désir. (Seuls
certains messieurs aux croyances religieuses extrêmes détourneront les yeux en la voyant approcher, lui signifiant son statut de créature sexuée aussi
violemment que s'ils lui avaient mis la main aux
fesses.) Le regard de l'homme peut être respectueux
ou obscène ; son murmure émerveillé peut se muer
en quolibet voire en insulte ; à elle, toujours, de juger
et de réagir. N'y échappent éventuellement, parmi
les jeunes femmes, que celles dont le *look* annonce
clairement leur homosexualité : cheveux courts, habits masculins, absence de maquillage.

Difficile de savoir ce qu'il en est de votre désir à
vous lorsque, du matin au soir, vous subissez la
pression de celui de l'autre, qui peut glisser à toute
vitesse d'hommage flatteur à attentat à la pudeur.
Non seulement cela mais... difficile de se concentrer sur autre chose. Difficile de s'oublier, de réfléchir, de rêvasser, difficile de flâner, de regarder,
d'observer, d'analyser ce qui se passe dans les rues,
quand vous êtes objet de regards en permanence

et devez constamment prendre des décisions par rapport à cela*. Selon les moments, vous pouvez devenir subitement maladroite… vous surprendre à remuer les hanches en marchant… faire semblant de rien (et "ils" vous voient alors faire semblant de rien, et vous les voyez vous voir faire semblant de rien, et ainsi de suite). Ce qui est certain, c'est que vous ne pensez plus qu'à ça ; le cours de votre monologue intérieur a été interrompu. Comme dit la comédienne Christine Boisson dans le beau livre d'Emile Breton, *Femmes d'images*, "Quand on est regardé on ne peut plus regarder" (143).

Un homme se promenant seul ne rencontre pas les mêmes problèmes et ne court pas les mêmes risques (sauf si, très jeune et très naïf, il s'aventure par mégarde dans un quartier gay). On n'a pas la même expérience de la vie, pas le même sentiment de soi, ni de son corps, selon que l'on est, ou non, contraint de devenir conscient de l'image qu'on constitue en marchant dans la rue.

Comme votre *physique* n'est pas le même que celui de l'homme, votre *métaphysique* n'est pas non plus la même. Vous vous posez mille questions. Suis-je mon corps, oui ou non ? Et… quel corps suis-je au juste, lequel parmi mes différents corps ? Et pour combien de temps ? Que désire l'homme, quand il dit me désirer ? Qu'aime-t-il, quand il dit m'aimer ? Oui : la beauté peut vous sécuriser, vous donner confiance en vous, mais elle peut aussi vous *insécuriser*, car la question que la beauté finit par vous poser est celle de l'amour.

---

* Personne ne le dit jamais, alors je me permets de le dire : si les *travel writers* sont très majoritairement des hommes, c'est que, dans de nombreux pays du monde, une femme seule est une anomalie. Elle attire l'attention (mauvais pour qui souhaite observer) et encourt des risques spécifiques.

*M'aime-t-on ? oui mais non mais m'aime-t-on,
moi ? m'aime-t-on pour moi ?*

Le mur de colère

Vous avez vingt-trois ans. De plus en plus maigre
et de plus en plus en colère, vous habitez un sixième
étage sans ascenseur et ne faites plus l'amour avec
personne.

L'époque des digicodes est encore à venir.

Un soir vous rentrez tard, vers deux ou trois
heures du matin, et un homme nettement plus
jeune que vous – un gamin en fait – vous suit dans
l'escalier en chuchotant des mots de désir urgents.
Ses mots évoquent la possibilité, entre vous, d'une
fellation. Folle de rage, vous verrouillez votre porte.
Visible sur votre palier le lendemain matin est la
trace de son plaisir.

A ce genre d'événement, une guenon n'aurait
pas de réaction particulière. Il n'y a rien à comprendre ; n'empêche, vous ne comprenez pas. Parce
que nous sommes humains, nous nous acharnons
spontanément à tout interpréter et à tout comprendre, *même ce qui n'a pas de sens.* En tant que
femelle humaine, sauf si vous avez la chance d'être
un bébé inconscient ou une vieillarde impotente,
vous êtes obligée de réagir. Vous pouvez choisir
de hausser les épaules et de rire, de vous mettre
en colère, de vous sentir coupable, de porter plainte,
de devenir paranoïaque, de vous claquemurer chez
vous… Même si vous parvenez à vous persuader
que ce petit incident ne vous concerne pas "personnellement", *il vous atteint personnellement.* Oui :
parce qu'une femme est une personne, elle n'a d'autre choix que de prendre personnellement ce qui
lui arrive et de l'intégrer à son histoire.

Vous vous mettez à haïr les hommes. Dans les manifestations féministes, vos slogans préférés sont : LA FEMME EST L'AVENIR DE L'HOMME MAIS L'AVENIR N'EST PLUS CE QU'IL ÉTAIT ; UNE FEMME SANS HOMME EST COMME UN POISSON SANS BICYCLETTE. Le petit copain d'une de vos amies, que vous invitez avec celle-ci à un repas chez vous, ne rit pas du tout de la "blague féministe" sur la carte de visite que vous lui tendez : "Cette carte a été traitée avec des substances chimiques. Dans les heures qui viennent, votre bite va se dessécher et tomber." Vous suivez de loin, en les approuvant, les démarches des féministes américaines : non seulement les modérées, qui organisent à cette époque des manifestations pour "Reprendre la nuit" dans toutes les grandes villes du pays, mais même les plus radicales, qui décrivent toute érection comme une agression et toute copulation comme un viol*.

Certains jours, vous détestez non seulement les hommes mais l'humanité dans son ensemble. Vous êtes déprimée en permanence. Il vous semble que le mieux serait d'effacer notre espèce de la surface de la planète et de repartir de zéro. *Tout* vous choque, vous dégoûte et vous semble inadmissible : les hommes avec leurs guerres, leur violence, leur machisme grotesque, leurs prétentions ridicules, leur besoin de parader, de se rentrer dedans, d'être le

* Mes amis musiciens du *Mâle entendu* confirment : "Il y a eu vraiment une époque incroyable où avoir un comportement de mec était inadmissible. Être simplement un homme, avoir un désir d'homme, c'était déjà presque passer dans le côté macho. Avoir une érection pouvait être quelque chose de politiquement incorrect ! Oui, la honte de l'érection. Tu ne sais pas si tu as le droit !"

plus fort, d'avoir la plus belle bagnole, de draguer, ah ! ce qu'ils sont cons ! vous pourriez les assassiner en masse ; les femmes avec leurs minauderies, leurs mômes, leur maquillage, leur coquetterie, leur façon de marchotter et de papoter, leur petitesse, leur superficialité, oui les femmes sont connes elles aussi, presque toutes !... Vous ne cessez de vous sentir agressée dans les rues de Paris : non seulement par les dragueurs mais par les affiches de cinéma, les titres des journaux, la prostitution, les magazines féminins (que vous aimiez tant, petite !), leurs pages remplies de régimes, de recettes de cuisine, de produits de beauté, de conseils diététiques...

La vie vous est devenue insupportable.

Fissures dans le mur

Heureusement, le mur de colère que vous avez construit autour de vous n'est pas étanche. De temps en temps, à la faveur d'un mot, d'une phrase, d'un menu incident, il se fissure et laisse passer un éclair contradictoire : humour, amour, ironie, musique, distance.

L'ami qui vous lance un jour, lapidaire : "Eh bien, tue Dieu !"

Le témoignage de l'écrivaine Ana Nowak, lors d'une table ronde sur les écrivains en exil, expliquant comment son choix s'est fixé sur la France. C'est que, jeune juive polonaise internée au camp d'Auschwitz, elle y avait éperdument admiré les Françaises en raison de... leur coquetterie. Elles se mettaient un turban pour cacher leurs cheveux clairsemés et pleins de poux… se servaient de bouts de charbon comme eye-liner… se pinçaient les joues pour leur mettre un peu de rouge… utilisaient pour s'embellir tout ce qui leur tombait sous la main… tenaient à préserver au moins cette dignité-là : être belles les unes devant les autres. Cinquante ans plus tard, Nowak en était encore émue.

Vous qui, passionnée par les jeux de maquillage enfant, puis enchantée, adolescente, de bazarder vos bâtons de mascara et de rouge à lèvres avec le soutien-gorge, aviez commencé ces derniers temps à décrire la coquetterie comme un grave complot des hommes contre les femmes – pour les aliéner, les enfoncer dans la frivolité, les contraindre à un épuisant et permanent concours de beauté… Le témoignage d'Ana Nowak vous en bouche sérieusement un coin.

Ou encore, l'épisode des couvreurs. Une de vos amies est restée dormir chez vous au sixième étage sans ascenseur, sous les toits. Vous vous réveillez un peu tard. C'est l'été, il fait chaud et vous êtes là, deux jeunes femmes côte à côte, étalées sur le lit à peu près nues… Surgit soudain devant la fenêtre de votre mansarde : un visage d'homme. Quelques secondes plus tard, sûrement en réponse à un signe du premier : un deuxième. Avec de grands sourires, ils vous regardent. Vous reluquent. Vous matent.

Vous vous redressez, raide de rage. "Ah, non ! Des voyeurs ! C'est pas possible ! Merde et merde et merde, même chez soi on ne peut pas être tranquille trois secondes…

— Du calme ! dit votre amie.

— *Comment ça, du calme ?*

— Pense à leur vie… Ce sont des travailleurs immigrés, leur femme est au loin. Ça ne leur arrive pas souvent de mater des filles à poil. Si ça peut leur faire plaisir... où est le problème ? Qu'ils se rincent l'œil, on s'en fout !"

Le mur se fissure, surtout, lorsqu'au lieu d'assister aux assemblées générales et de défiler dans les manifestations, vous rejoignez une joyeuse bande féministe qui a le projet de créer un journal mensuel, *Histoires d'elles*. Ce sont ces femmes-là qui, au cours de vos quatre années de travail ensemble, rendront votre vie à nouveau vivable. Par leur vitalité, leur sens de l'humour, leur diversité (l'équipe comprend des femmes d'une dizaine de nationalités différentes, homos et hétéros, mères et pas mères, jeunes et moins jeunes), leur sens du paradoxe (dans ce journal on peut publier un texte qui s'appelle "J'ai envie d'être draguée")... mais aussi, contre toute attente, leur coquetterie. En effet, les femmes d'*Histoires d'elles* se font belles avant d'aller aux réunions du journal.

Pour la première fois de votre vie, vous laissez s'exprimer votre corps et votre intelligence ailleurs que sous le regard des hommes à qui vous avez le souci de plaire : père, frère, professeurs, employeurs, amants... Egalement pour la première fois, au lieu de voir les autres femmes comme vos alliées ou vos rivales dans le théâtre de la séduction, vous appréciez pleinement ce qu'elles sont et ce qu'elles font. Vous vous découvrez valables et aimables entre vous, parmi vous...

Votre vie ne sera plus jamais la même.

Changement de donne

Vous avez la quarantaine, vos enfants sont adolescents. Quand vous voyagez dans certains pays, par exemple dans de petites villes de province en Allemagne, en Autriche ou aux Etats-Unis, vous êtes offensée par la laideur des femmes, leur visage vierge de tout maquillage, leurs rides apparentes, leur corps amorphe, leurs vêtements disgracieux. Nul bijou, nul scintillement, nulle interaction suggestive avec le regard d'autrui. Dans les rues, les centres commerciaux et les restaurants de ces villes-là, l'indifférence qu'affichent les hommes à votre égard vous déroute. Fascinée par l'espace variable alloué à la séduction sur la place publique ici et là, vous écrivez un article intitulé "La donne"… et exprimez, en la matière, une nette préférence pour les mœurs françaises.

Que s'était-il passé entre 1973 et 1995 ? Qu'est-ce qui vous a fait changer d'avis ? Vous aviez vieilli, c'est sûr… et du coup, dans la rue, les hommes vous embêtaient moins. Leurs regards et leurs mots étaient moins agressifs, plus doux, plus complices… Mais on peut dire aussi que dans ce domaine, du moins jusqu'à un certain point, vous étiez, tout comme Anaïs Nin… devenue française.

VII

PLUS SUJET ET PLUS OBJET

> *... des images comme des cages, dans un monde où les femmes, de plus en plus nues, de plus en plus photographiées, qui se recouvraient de mensonges, devaient se donner des moyens de plus en plus fantastiques de temps et d'argent, des moyens de douleurs, moyens techniques, médicaux, pour se masquer, substituer à leur corps un uniforme voulu infaillible, imperméable, et où elles risquaient, dans le passage du temps, à travers les âges, de basculer du côté des monstres.*

NELLY ARCAN

Make-up bis

Ce qu'il y a avec la culture, c'est que nous la recevons dès l'enfance en pleine figure. Aucun recul, évidemment. Aucun moyen de relativiser, de contextualiser, de se dire : ben, ça ne se passe pas *forcément* comme cela ! Le monde dans lequel nous grandissons est *notre seul monde* ; il nous semble avoir toujours existé. C'est donc sans le savoir que, par exemple, nous appartenons à l'une des premières cultures de l'espèce humaine à trouver que le maquillage quotidien des femmes va de soi. On a du mal à croire ce genre de petit fait, lorsqu'on vit – comme nous tous aujourd'hui – dans un monde où l'industrie cosmétique rapporte chaque année des milliards d'euros.

Certes, Néfertiti se fardait – et Cléopâtre – et, au long des siècles du christianisme en Occident, les reines et leur entourage, les membres féminins (et parfois masculins) de la grande aristocratie… Erasme, au début du XVIᵉ siècle, souligne qu'à travers leur séduction les femmes exercent parfois un pouvoir réel : "Les femmes ont l'attrait de la beauté qu'elles ont raison de placer au-dessus de tout, et qui leur vaut d'exercer une tyrannie sur les tyrans eux-mêmes (…). Que désirent-elles d'autre dans cette vie, sinon plaire aux hommes le plus possible ? N'est-ce pas le but de tous ces vêtements, ces fards, ces bains, ces séances de coiffure, ces onguents, ces parfums, ces procédés pour arranger, peindre, refaire le visage, les yeux, la peau ?" Un siècle plus tard, Shakespeare décrira à plusieurs reprises le maquillage féminin comme une ruse grossière et inefficace*.

Mais la vaste majorité des femmes de l'histoire humaine a vécu dans une culture de subsistance, sans miroir, et ne songeait pas (sauf occasion spéciale) à se farder. En dehors des cours royales et de l'aristocratie, le maquillage dans l'Occident chrétien était associé au péché, réservé d'abord aux prostituées, ensuite aux acteurs de théâtre (et aux actrices qui, c'est connu, étaient plus ou moins assimilées aux prostituées).

---

* Hamlet, tout en jouant avec le crâne de Yorick l'ancien fou du roi, conseille aux fossoyeurs d'aller trouver Ophélie dans sa chambre et de lui dire qu'elle aura beau se badigeonner d'une couche de fard épaisse comme un doigt, elle n'en finira pas moins comme Yorick, crâne nu. "Qu'elle s'amuse de cela !" lance-t-il, car il n'a pas compris que c'est justement la tombe d'Ophélie qu'on creuse…

Puis, transformation aussi subite que radicale : alors qu'au début du XXe siècle aucune femme "respectable" ne se maquille, au début des années 1960, d'après Geoffrey Jones dans sa magistrale histoire du maquillage *Beauty Imagined*, 80 % des jeunes Américaines (quatorze – dix-sept ans) utilisent du rouge à lèvres, 36 % du mascara et 28 % de la poudre. En France, écrit Gilles Lipovetsky dans *La Troisième Femme*, "le chiffre d'affaires de l'industrie des parfums et des produits de beauté est multiplié par 2,5 entre 1958 et 1968 ; de 1973 à 1993, il passe de 3,5 milliards à 28,7 milliards". Les statistiques que cite Georges Vigarello dans son *Histoire de la beauté* sont plus impressionnantes encore : "Le chiffre d'affaires des seuls produits de beauté a quadruplé entre 1965 et 1985, celui des cosmétiques en général a doublé entre 1990 et 2000, passant de 6,5 à 12 milliards d'euros, les ventes dans les circuits de grande distribution de plusieurs cosmétiques corporels augmentant elles-mêmes de 40 % à 50 % entre 2000 et 2001." Vigarello souligne le fait que, de nos jours et pour la première fois dans l'Histoire, même la "femme du peuple" "lit des magazines, se maquille, achète des produits de beauté comme 95 % des femmes françaises le font, utilise «quotidiennement un soin du visage» comme 87,7 % de ces mêmes femmes le font (…). Le «luxe» se démocratise, sans donner, bien sûr, l'impression d'être bradé" (230). Le marché chez les jeunes est particulièrement lucratif : les 30 à 40 millions d'adolescentes et de préadolescentes américaines dépensent chaque année 8 à 9 milliards de dollars en cosmétiques.

"Le nombre des instituts de beauté a sextuplé entre 1971 et 2001, poursuit Vigarello, passant de 2 300 à 14 000, [et] celui des opérations de chirurgie esthétique, décompté en milliers par an dans l'entre-deux-guerres, se compte aujourd'hui par centaines de milliers, la progression annuelle étant même de 120 000 en France dans les années 2000 et de près du million aux Etats-Unis, où les seules liposuccions sont, en 2000, dix fois plus nombreuses qu'en 1990" (229). "Un magazine, *Plastique et beauté*, tiré à près de 100 000 exemplaires, lui est entièrement consacré", précise le même auteur ; aux Etats-Unis, le sujet mérite à lui tout seul une série télévisée *(Nip/Tuck)* ! La triste affaire des prothèses mammaires cancérigènes qui défraie la chronique pendant l'hiver 2011-2012 révèle la massification du phénomène : rien qu'en France, un demi-million de femmes sont porteuses d'implants. Partant, elle nous enseigne que dans l'érotisme de bien des femmes contemporaines, l'image joue un rôle plus important, désormais, que la sensation. "J'ai perdu toute sensibilité au niveau des seins", avoue une trentenaire qui se déclare satisfaite de son augmentation mammaire. "Pour la majorité des femmes, le plaisir d'être vue est plus important que la caresse", explique un professeur de chirurgie plastique, et une psychiatre de renchérir : "Dans l'imaginaire masculin, le fantasme est dans les formes. Pas mal de demandes de chirurgie esthétique viennent du conjoint*."

Une publicité récente de L'Oréal aligne fièrement, à gauche du visage en gros plan d'une superbe nymphette aux yeux bleus, les résultats 2011 de l'entreprise. Dividende tant, bénéfice net tant, résultat net tant... surtout le mirifique chiffre d'affaires : 20,34 milliards d'euros. Tout en bas, formulé de façon crue pour ne pas dire cynique, voici le message de la publicité : "La beauté est une valeur

---

* Ces trois citations proviennent d'un article du *Monde* du 15-16 janvier 2012 : "Changer ses seins pour une meilleure image de soi."

d'avenir." Valeur purement pécuniaire, cela va sans dire ; y en avait-il d'autres ?

Bien entendu, tous ces chiffres reflètent l'urbanisation massive du monde occidental depuis un siècle et demi : la révolution industrielle, l'exode rural, la fabrication de produits à bas prix, la création de marchés, l'implantation de magasins de distribution de masse, l'avènement de la "société des loisirs"...

Mais ils reflètent aussi *l'impact énorme qu'a eu sur la vie des Occidentaux l'invention de la photographie* (à partir du milieu du XIXᵉ siècle), et *surtout* (à partir de la Première Guerre) *du cinéma*. Fait cocasse : tous les noms de marque qui vous ont impressionnée, enfant, dans le dessin humoristique – Estée Lauder, Rimmel, L'Oréal, Chanel, Max Factor – étaient d'abord liés au monde du septième art ; c'est d'ailleurs M. Max Factor, un des grands maquilleurs de Hollywood, qui inventa en 1908 le mot de *make-up*.

Là où les actrices de théâtre tout comme les prostituées étaient de la vraie chair vivante, les stars de l'écran sont pures car intouchables, protégées par la pellicule, froides comme un écran ou un miroir... donc imitables sans danger par les femmes chez elles.

Et ça change tout.

Le dédoublement dédoublé

En 1913, Paul Claudel écrit dans sa pièce *Protée* : "Je comprends ! je comprends ! il avait tout prévu ! L'image photographique a déjà eu le temps de mûrir et de se développer intérieurement comme une perle au sein de la nacre et nous avons une Hélène synthétique ! Coucou ! Ainsi il y en a pour tout le monde. Voilà notre Hélène émiettée de tous les côtés, dans le ciel, sur la terre et sur l'onde !"

Dans l'histoire de l'art il y avait toujours eu des images de belles femmes, mais pendant des millénaires c'étaient des objets uniques : sculptures, tableaux, dessins, tout au plus des gravures à tirage limité. Même quand, au XVᵉ siècle, l'invention de l'imprimerie permet de les reproduire à de nombreux exemplaires, elles restent des interprétations, des transpositions du corps féminin. Avec l'avènement de la photographie, ce corps est matérialisé. Ayant capté un instant la lumière réelle d'une femme vivante, on en fait des images qui, au lieu de *représenter* son corps, le *présentent*. Celles-ci peuvent être reproduites indéfiniment à l'identique et circuler dans le monde entier. Soudain et pour la première fois dans l'histoire humaine, les femmes se voient partout confrontées et comparées à des effigies de femmes réelles.

Il faut insister sur le lien entre la Grande Guerre, avec ses horreurs et sa mortalité sans précédent (plus d'un million et demi de jeunes Français y laissent la vie, et près de deux millions de jeunes Allemands) et la beauté féminine qui éclate soudain sur le grand écran.

Prenant acte du traumatisme terrible, de la remise en cause de toutes les certitudes religieuses, sociales et politiques, les artistes européens décident que leur rôle n'est plus de créer ou d'entretenir des illusions mais de les fracasser. Peintres et sculpteurs délaissent progressivement la représentation de la beauté féminine (on peut arrêter cette phrase après *féminine*, après *beauté* ou après *représentation*) et c'est le cinéma qui, d'abord en Europe puis aux

Etats-Unis, prend le relais, lui qui forgera et promulguera dorénavant les grands mythes du féminin. "Les sortilèges de la vamp, écrit Antoine de Baecque, tentent d'effacer le vécu et les souvenirs qui rappellent les hommes à la guerre. Seule une femme parfaitement fatale peut alors se mesurer aux horreurs de la Grande Guerre. Les vamps, invention d'une Amérique qui demeure loin du théâtre des opérations, envahissent donc l'imaginaire des spectateurs du monde entier" (393).

C'est parti, et ça ne s'arrêtera plus. Même si les modèles de beauté féminine se transformeront selon les modes, passant de la vamp à la starlette à la *sex bomb* à la garçonne, la machine à fantasmes n'est pas arrêtable : "Comme si un «courant magnétique» tenait liés la «femme de l'écran» et le «spectateur» car, écrit André Breton dès le milieu des années 1920, «ce qu'il y a de plus spécifique dans les moyens du cinéma, c'est de toute évidence de pouvoir concrétiser les pouvoirs de l'amour»" (392).

Naturellement, les femmes vont elles aussi au cinéma et fixent elles aussi le grand écran avec fascination... mais c'est pour elles une fascination douloureuse. Leurs yeux absorbent en même temps la beauté des stars et le regard désirant que les hommes portent sur cette beauté. Voici le visage de Garbo : cinq mètres de haut et pas une ride ! Voilà le corps de Dietrich : sublime, provocant, sensuel mais intouchable... Le dédoublement classique des femmes entre "moi" et "mon image" s'en trouvera... dédoublé ; désormais leur regard sur leur corps passera *et* par les yeux de l'homme *et* par l'objectif de la caméra.

Soulignons tranquillement, objectivement, que l'appareil photo et la caméra représentent le prolongement de l'œil *masculin*, la réification du regard *masculin*. La cinéaste Liliane de Kermadec témoigne : "Un homme âgé, un artiste, m'avait dit un jour, très sérieusement pendant que sa très jeune compagne nous servait le café sans ouvrir la bouche : «Vous savez ce que c'est votre caméra ?» J'étais impressionnée par le regard attentif qu'il posait sur moi. «Ben…», j'ai fait. «C'est votre pénis», il a continué tout aussi gravement" (Breton, 79).

"On ne s'occupe pas de savoir quels sont les rapports entre femmes à l'intérieur d'un film, renchérit l'actrice Delphine Seyrig, contrairement à ce qui se passe dans l'univers masculin. Ce n'est jamais analysé. Pourquoi les personnages de femmes sont isolés, n'ont jamais d'amies, qu'elles soient des enjeux ou des héroïnes mythiques. Et c'est là que d'une façon très subversive le cinéma est un agent de l'idéologie dominante" (150).

En effet, au club sélect des réalisateurs et producteurs de cinéma, qui mobilisent des sommes d'argent astronomiques et exercent leur autorité sur une kyrielle de personnes, ne sont admis que ceux qui ont beaucoup d'argent et d'autorité. Ce n'est qu'à partir de la fin du XXe siècle que quelques membres de la gent féminine réussissent à s'y glisser. Encore aujourd'hui, les films qui épousent explicitement le regard amoureux et désirant d'une femme sur un corps d'homme peuvent se compter sur les doigts d'une main : *La Leçon de piano* de Jane Campion (1993), *Mouvements du désir* de Léa Pool (1994) – ou, véritable révélation en la matière : *Lady Chatterley* de Pascale Ferran (2007).

Georges Vigarello confirme, dans *Histoire de la beauté* : le cinéma a joué avec les formes et la luminosité du corps de la femme, "transformant le plus banal des déplacements en travail expressif" (210) ; il a incité les femmes à prêter une attention accrue "à certaines parties du corps, la poitrine, les jambes, à une manière de marcher (…), à une manière de regarder (…), à une manière de parler aussi" (212). Ainsi pendant un siècle entier, dans les rues des villes, les salles de cinéma, les journaux et les magazines, les habitants du monde occidental ont-ils pris l'habitude, sans même s'en rendre compte, d'épouser le regard "objectivant" des hommes sur le corps féminin.

Nous autres femmes l'avons introjecté, ce regard. Nous l'avons fait nôtre et, sachant qu'à l'endroit de Monroe de Seberg ou de Cruz il est empli d'approbation, d'admiration et de désir, nous l'avons traduit en *critique* envers nous-mêmes. Chacune de nous porte en soi dorénavant, en permanence, une paire d'yeux inquisiteurs au jugement impitoyable.

Féminines ou féministes ?

Or c'est *pendant le même temps*, au tournant du XIXᵉ et du XXᵉ siècle, que le mouvement féministe prend son essor. A cet égard aussi, la guerre de 14-18 joue un rôle de la toute première importance : c'est parce qu'elles ont contribué à l'effort militaire de leur pays que les femmes réussiront, d'abord en Grande-Bretagne, au Canada et en Russie (1918), un peu plus tard aux Etats-Unis et en Allemagne (1919), à s'arroger le droit à ce symbole absolu de l'individualité qu'est le suffrage*. Progressivement, un peu partout dans le monde occidental, les femmes se mettent à manifester, à protester, à lutter pour leurs droits civiques, à exiger dignité et respect, à vouloir

---

* Ailleurs, elles devront attendre la guerre mondiale suivante ; c'est le cas des Françaises (1944), des Italiennes (1945), ou des Japonaises (1946)…

être reconnues comme les égales des hommes sur le plan politique et professionnel, des citoyennes à part entière. Droit de vote, droit au travail, droit à la contraception et à l'avortement, droit à devenir députée, sénatrice, présidente de la République… une fois qu'elles avaient commencé, il était impossible de les arrêter !

Mais, étrangement, *plus elles deviennent sujets, plus elles se font objets.* L'expression "Miss France" est née dans les tranchées de la Somme en 1914 ; Agnès Souret est élue "plus belle femme de France" en 1920. Le magazine *Vogue* démarre en 1916 ; les premières images de femmes qu'il publie relèvent encore du XIXe siècle mais cela évolue si vite que, dix ans plus tard, on se croirait au XXIe ! Le concours de beauté couronnant la première Miss America date de 1921, soit… deux ans après l'obtention par les Etats-Uniennes du droit de vote. Les concours de beauté pour petites filles démarrent en Grande-Bretagne et aux Etats-Unis dans les années 1960, en même temps que le mouvement Women's Lib… Les petites filles ont le "droit" d'y participer dès qu'elles peuvent se tenir assises toutes seules, c'est-à-dire dès l'âge de six mois. Chaque année, 250 000 fillettes américaines (recrutées pour l'essentiel dans les classes populaires) subissent un entraînement qui, par ses contraintes, n'a rien à envier à celui des enfants soldats dans le Tiers Monde. A l'âge de deux, trois ou quatre ans, elles seront grimées, vêtues comme des reines voire comme des putes, arborant faux bronzages, faux cils, faux ongles, perruques, froufrous, plumes et taffetas ou bottes de cuir…

Aux Etats-Unis aujourd'hui, les concours de beauté pour fillettes et jeunes femmes rapportent annuellement plus de cinq milliards de dollars de bénéfices. Ils constituent l'une des industries les plus

florissantes de ce pays qui, par ailleurs, assume la
haute tâche morale d'enseigner l'émancipation féminine au monde entier.

En d'autres termes, les femmes se servent des
avantages de leur subjectivité accrue non seulement
pour asseoir leur indépendance économique et af-
fective, mais *pour s'objectiver plus que jamais aupa-
ravant*. Plus elles gagnent de l'argent, plus elles en
dépensent pour leur beauté : en 2009, interrogées
sur leurs priorités, une majorité d'adolescentes bri-
tanniques disent dépenser deux fois plus pour leur
apparence que pour leurs études. "D'un côté, dit
Gilles Lipovetsky, le corps féminin s'est largement
émancipé de ses anciennes servitudes, qu'elles
soient sexuelles, procréatrices ou vestimentaires ;
de l'autre, le voilà soumis à des contraintes esthé-
tiques plus régulières, plus impératives, plus anxio-
gènes qu'autrefois" (136). En effet, c'est une femme
plus sujet qui, seule, peut se rendre plus objet ; jamais les hommes dominants n'auraient pu obtenir
un tel résultat massif.

Le paradoxe est de taille. De nos jours, tout en
intériorisant l'objectif de la caméra, l'imaginant di-
rigé sur nous en permanence, suivant notre moindre
cillement, révélant et célébrant notre beauté, notre
jeunesse, notre grâce, notre *sex-appeal*, notre choix
de sous-vêtements, s'émerveillant de notre maquillage, notre ligne et l'accord parfait entre notre sac
et nos chaussures, nous devons nous évertuer à
prouver non seulement que nous valons les hommes
à tous égards et dans tous les domaines, mais que…
nous ne différons en rien d'eux !

La Belle Baigneuse

Vous avez dix-neuf ans. Vous vous jetez dans votre travail universitaire, dévorez des centaines de livres à la bibliothèque, apprenez une technique de "lecture rapide" qui vous permet d'avaler un roman en une heure. Vos journées sont quadrillées sans merci, rien n'est laissé au hasard, jamais vous ne vous détendez dans un café de la ville, ou une soirée entre amis. En plus, la petite phrase de l'employeur sur les kilos à perdre s'est gravée dans votre mémoire. Kilos à perdre, kilos à perdre… Vous entamez un régime draconien. C'est comme une déclaration de guerre à votre corps. Vous détestez ce corps, il est devenu votre ennemi. Vous le pesez tous les matins. Plus aucun compromis, plus aucun plaisir, plus aucun féculent, jamais. Pas le moindre gramme de pain ni de pâtes ni de riz ni de pommes de terre, jamais de céréales le matin ; légumes et protéines, c'est tout. Et alcool. Et cigarettes. En six mois, votre poids chute de soixante-trois à cinquante kilos, mais vous vous trouvez toujours trop grosse. A vrai dire, vous vous trouvez *de plus en plus grosse*. C'est la haine. C'est l'obsession.

Un jour de l'été 1973, vous allez vous baigner seule dans l'étang de Walden, dans le Massachusetts – lieu magnifique, rendu célèbre par la cabane qu'y a construite, pour y vivre et y méditer en solitaire, le philosophe Henry David Thoreau. Tous les éléments sont réunis pour un instant de bonheur parfait. Une belle jeune femme se dévêt, avance vers l'eau miroitante, s'apprête à se baigner… forêt, chants d'oiseaux, soleil, chaleur de l'air, fraîcheur de l'eau, merveille, merveille de l'été ! *La Belle Baigneuse !* Picasso ! Matisse ! Dans l'art mondial, combien de peintures et sculptures ont immortalisé cette scène bucolique et sensuelle ?

Vous portez un maillot deux pièces bleu indigo. Baissant les yeux sur votre corps, vous en fixez les cuisses, le ventre, les mollets, le ventre surtout, oui ce ventre et puis ces cuisses surtout, non mais ce ventre détestable, toujours trop gros, beaucoup trop gros malgré les treize kilos perdus… De vos deux mains, vous attrapez les bourrelets de chair, les pétrissez, les malaxez, cherchez à les faire disparaître, à les détruire, le mieux serait de vous détruire tout à fait, oui de vous noyer, oui de mourir.

Mourir est devenu votre vœu le plus cher.

L'anorexie remplace l'hystérie

L'anorexie occupe aujourd'hui très exactement la place qu'occupait l'hystérie à l'époque de Sigmund Freud. Maladie féminine de choix, elle frappe presque exclusivement des femmes blanches de milieu plus ou moins aisé, vivant dans les pays développés et démocratiques. Au cours du XXe siècle, la femme occidentale est devenue de plus en plus *image pour elle-même*. Jour après jour son miroir se dresse devant elle, juge auquel elle doit se confronter. Dès les années 1930, la directrice de *Marie-Claire*, Marcelle Auclair, s'adresse ainsi à ses lectrices : "Chaque matin, avant même vos soins de beauté, regardez-vous dans la glace, bien en face et commandez à vos yeux de briller, de s'animer, de s'éclairer de la flamme que vous portez certainement en vous. C'est un petit exercice d'autosuggestion infaillible. (…) Si vous [le] pratiquez avec régularité, *votre moi intérieur prendra l'habitude d'obéir à l'ordre de votre volonté*" (Vigarello, 216, je souligne).

Le mot-clef est en effet celui de volonté : il s'agit de *dominer* ses appétits, de *contrôler* son poids, de *surveiller* sa ligne, de *soumettre* sa chair à son esprit.

Les chiffres envahissent notre tête : poids idéal (et le nôtre, jour après jour), mensurations idéales (et les nôtres, mois après mois), prix des produits de beauté, taille de vêtements, nombre de calories dans chaque bouchée de nourriture que l'on avale… "De quoi s'agit-il dans les nouvelles pratiques de beauté, demande Lipovetsky, sinon de se rendre «comme maître et possesseur» du corps, de corriger l'œuvre de la nature, de vaincre les ravages occasionnés par la marche du temps, de substituer un corps construit à un corps reçu" (142).

Même lorsqu'elle revêt des formes moins pathologiques, l'obsession de la minceur est profondément implantée dans la tête des femmes contemporaines : interrogée sur ses rêves pour l'avenir, une Américaine sur trois dit souhaiter, plus que tout au monde, perdre du poids. De même en Grande-Bretagne, d'après un sondage récent de la BBC, la moitié des fillettes âgées de huit à douze ans pensent qu'elles seraient plus heureuses si elles étaient plus minces.

L'explication la plus communément admise de cette obsession est que les jeunes femmes cherchent à imiter les modèles de minceur imposés par les industries du cinéma et de la mode. La sociologue d'origine marocaine Fatema Mernissi l'exprime à merveille, dans un chapitre de son essai *Le Harem et l'Occident* intitulé "La taille 38 : le harem des femmes occidentales" : "Les Occidentaux n'ont pas besoin de payer une police pour forcer les femmes à obéir, il leur suffit de faire circuler les images pour que les femmes s'esquintent à leur ressembler" (119). Mernissi cite *The Beauty Myth*, de la féministe américaine Naomi Wolf (dont les chiffres doivent être sérieusement révisés à la hausse car son livre a vingt ans d'âge) : "De puissantes industries – 33 milliards par an pour les produits de régime, 20 milliards par an pour les cosmétiques,

300 millions pour la chirurgie esthétique, 7 milliards pour la pornographie – ont jailli de cette mine que sont les angoisses inconscientes. En retour, elles engendrent et façonnent l'hallucination collective comme dans une spirale infernale" (17).

Mais l'analyse de Mernissi et Wolf a l'inconvénient paradoxal de priver les femmes de toute volonté propre, de les transformer en pâte inerte et passive que les hommes modèleraient à leur gré. Le fait est que nous sommes terriblement actives dans cette affaire. "A coup sûr, comme l'écrit Gilles Lipovetsky, les femmes imitent des modèles mais de plus en plus ceux-là seuls qu'elles jugent appropriables et conformes à l'image qu'elles ont d'elles-mêmes" (169). Anorexiques et régimophiles ne se contentent pas de *singer* ces modèles, elles les produisent, les contiennent et les chérissent.

L'obsession contemporaine des femmes concernant leur apparence n'est plus essentiellement liée à la séduction des hommes, par exemple au désir de "décrocher" un mari pour avoir des enfants ; elle est devenue anxieuse et anxiogène. Les femmes se retravaillent *seules* désormais, sous et pour le regard critique les unes des autres.

Cela n'arrange pas les féministes que, tout en revendiquant la parité sur le plan politique, les femmes continuent de consacrer à leur corps une part si prépondérante de leur temps et de leur budget. En France à l'apogée du mouvement des femmes, les revues féministes se sont vendues à quelques milliers d'exemplaires, avant de s'étioler et de disparaître. Bourrées de publicités pour les vêtements, les produits de beauté et les régimes minceur, "les féminins" continuent de tirer chaque semaine à des millions d'exemplaires. ("Presque une femme sur deux achète des magazines [féminins] dès 1980, précise Georges Vigarello, ce qui permet de les lire à presque deux femmes sur trois" [228].)

Nelly Arcan appelle cela *l'antinarcissisme féminin*, car il est motivé non plus par l'amour de soi mais par la haine de soi. Et il débouche sur des phénomènes dont nous ne percevons même pas la bizarrerie, tellement nous y sommes habitués. Rampe des défilés de mode : lumières, folle focalisation des regards sur des créatures squelettiques attifées d'habits invraisemblables, immettables, aux prix insensés... Chaussures aux talons tellement hauts qu'on ne peut faire trois pas sans souffrir le martyre...

Jean Baudrillard est un des premiers à s'être effrayé (dès 1970, dans *La Société de consommation*) du caractère négatif, chez nous, de la beauté féminine : "L'hygiène sous toutes ses formes vise à une définition du corps négative, par élimination, comme d'un objet lisse, sans défaut, asexué, retranché de toute agression externe et par là protégé contre lui-même (...). La préoccupation hygiénique (...) «élude» les phantasmes profonds au profit d'une religion superficielle, cutanée, du corps. Prenant soin, «amoureux» du corps, elle prévient toute collusion du corps et du désir (...). C'est dans l'ascèse des «régimes» alimentaires que se lit la pulsion agressive envers le corps, pulsion «libérée» en même temps que le corps lui-même" (223).

Baudrillard ajoute qu'au-delà des déterminations de la mode, cette pulsion agressive alimente un "acharnement autodestructeur irrépressible, irrationnel, où la beauté et l'élégance, qui étaient visées à l'origine, ne sont plus qu'alibi à un exercice disciplinaire quotidien, obsédant". Et de conclure : "Le corps (...) joue comme support de deux logiques tout à fait différentes de celle de la satisfaction : l'impératif de mode, principe d'origine sociale, et l'impératif de mort, principe d'origine psychique" (224).

Personne n'a décrit plus puissamment que la romancière finno-estonienne Sofi Oksanen le fonctionnement intérieur de la femme anorexique. La narratrice de son roman *Les Vaches de Staline* est aussi obsédée par la nourriture qu'elle refuse, ou qu'elle consomme puis vomit, qu'un moine peut l'être par la sexualité qu'il refoule. En clair, dans ce roman, le regard introjecté de l'homme – que la jeune femme appelle "mon Seigneur" – est devenu son surmoi, sa volonté, le juge impitoyable de son apparence et de ses moindres mouvements : "Ce corps était la demeure de mon Seigneur. Il ne pouvait pas être la mienne, car je n'avais pas d'âme qui aurait besoin d'une demeure charnelle. Mon corps était habité par autre chose, dont le nettoyage et la forme étaient décidés par mon Seigneur, qui lui avait donné une apparence parfaite. Moi-même, je n'aurais pas pu y être. Mon corps ne savait pas s'il avait faim ou soif, s'il était fatigué ou s'il avait besoin d'un gilet de laine sous le manteau. Mon Seigneur, lui, le savait. Mon corps n'avait pas de désirs. Mon Seigneur, si. Mais pour satisfaire ses désirs, mon Seigneur n'avait besoin que de nourriture" (337)*.

Cette folie-là, la transformation par les femmes de leur propre corps en objet mental, la détestation féminine de soi et des autres, la rivalité féroce entre femmes pour ressembler aux mannequins dont elles consomment goulûment l'image, est *spécifique à notre civilisation à nous.*

Le corps remplace la maison

Autant la femme moderne profite de sa libération pour consacrer moins de temps à l'entretien de sa

---

* Ailleurs dans le livre, le personnage cite Sylvia Plath écrivant, au sujet des mannequins de Munich : *"Perfection is terrible, it cannot have children."*

maison (les divers appareils ménagers l'y aident et elle serait très heureuse que son conjoint l'en déleste un petit peu plus), autant l'entretien de son corps la préoccupe encore, encore et toujours plus, sans limite en vue. Virginia Woolf disait que si une femme ne pouvait pas écrire avec le lit défait, elle ne deviendrait jamais romancière. Mais si elle n'arrive pas à écrire avec le visage défait ? ou avec l'ourlet de sa jupe défait ? ou si elle a un rendez-vous chez le coiffeur à seize heures ? ou si elle s'aperçoit qu'elle a pris cinq cents grammes depuis la semaine dernière ?

Expérience utile : que chacune calcule le temps qu'elle alloue chaque matin (et/ou chaque soir) à se pomponner. Qu'elle estime le pourcentage de son budget qu'elle consacre à vêtir son corps, à le coiffer, à l'amincir, à le muscler, à en lisser la peau, à en soigner les ongles, à en maquiller le visage, à en faire disparaître les poils non désirables, pour ne rien dire des rides et des bourrelets. Qu'elle songe aux milliers de gens qui participent à l'entretien quotidien de ce corps : ceux qui recueillent, dans les champs et les forêts, ou fabriquent, dans les laboratoires et les usines, les produits nécessaires à le rendre agréable à voir, à toucher et à sentir. Qu'elle compte le nombre de produits qui se trouvent à portée de main dans sa salle de bains pour préparer ce corps, jour après jour, à la visibilité sociale. Parfums, vernis à ongles, bijoux, chaussures, foulards, soutifs, débardeurs, robes, sacs à main, Botox… C'est vertigineux, chez nous, les besoins d'un corps de femme !

Exit *la fécondité*

Une des conséquences de l'avènement de la photographie, rarement évoquée mais de la toute première importance, c'est la disparition de la figure de la mère. Distanciées par l'objectif d'un appareil photo ou d'une caméra, beauté et jeunesse féminines ne sont plus liées aux menaces qu'elles avaient toujours représentées pour les hommes : saleté, maladie, péché… surtout, *fécondité* (j'y reviendrai, un peu plus loin, dans le chapitre *"Baby or not baby"*).

En même temps que la télévision, dans les années 1950, arrive dans les foyers occidentaux la poupée Barbie (et Ken sa contrepartie masculine). Fabriquée et distribuée en masse, marquant de façon durable l'imagination de la fillette en Occident, Barbie sera la première poupée à symboliser non son enfant futur mais *elle-même*, la femme qu'elle aspire à devenir. L'obsession narcissique s'installe. Les fillettes de trois, quatre et cinq ans s'affairent désormais à choisir habits, accoutrements, coiffure et maquillage pour leur avatar longiligne ; un peu plus tard, elles poursuivront cette passionnante activité sur un écran d'ordinateur…

Poupées bébés, services à thé : tous les jouets liés aux gestes traditionnellement maternels seront dénoncés par des féministes comme "aliénants", et la maman contemporaine de rougir quand sa fille la supplie de les lui acheter. Il suffit de faire un tour dans le rayon jouets de n'importe quel grand magasin : côté garçons, rien n'a changé, c'est la guerre, l'aventure, la science. Côté filles, même si le rose bonbon persiste et signe, la séduction a très largement évincé la reproduction.

L'image de la star est faite pour éblouir, pour faire rêver et fantasmer ; la femme qui aspire à lui ressembler doit s'afficher solitaire et "disponible". Significative à cet égard, au point d'en être comique, est la stipulation pour les candidates au concours

Miss France d'être "célibataire et sans enfant et ne pas vivre en concubinage".

En ce qui concerne les actrices de cinéma, il faut distinguer deux types de "rôles" : tantôt, dans les magazines ou les émissions *people*, elles jouent à être "moi-telle-qu'en-réalité" ; tantôt, à l'écran, elles incarnent un personnage de fiction.

Dans le premier cas, si elles sont enceintes, il arrive de plus en plus souvent de nos jours qu'on leur propose de l'argent pour se faire photographier nues. C'est une vraie exhibition de leur dedans. Si une femme a été engrossée c'est qu'elle est aimée, et en se laissant photographier enceinte elle exhibe une richesse ; l'enfant est un peu, pour elle, comme la Rolex pour son compagnon.

Dans le deuxième cas, en revanche, c'est-à-dire dans les films eux-mêmes, les phénomènes liés à la fécondité de la belle jeune femme continuent d'être passés très largement sous silence. Les personnages de mère au cinéma ne sont justement *pas jeunes* : c'est à l'âge mûr, lorsqu'elles n'étaient plus "désirables", que Sophia Loren ou Simone Signoret pouvaient incarner des *mamma* magnifiques, mères d'enfants adultes. Certes il y a des exceptions : on peut penser au film de Sam Mendes *Les Noces rebelles* (2009), dans lequel Kate Winslet joue une jeune mère de deux enfants, très amoureuse de son mari, qui étouffe dans la médiocrité de la banlieue américaine. Mais pour un film comme celui-là, il en existe des centaines qui démontrent par $a + b$ qu'être belle, pour une femme, c'est avoir un ventre plat, pas de règles, pas de grossesse, pas de marmaille. Si une actrice se trouve en début de grossesse pendant un tournage, elle devra se bander le ventre et les seins… tout comme, dans les campagnes jadis, une fille-mère honteuse d'avoir "fauté".

Pourquoi les stars de cinéma sont-elles par essence stériles ? Sans doute parce que l'actrice est *l'objet de tous*. Or, quand vous avez un enfant, vous êtes l'*objet de un* (le père de l'enfant), donc vous perdez le désir des autres, n'appartenez plus à tout le monde, faites moins bander... et, naturellement, les recettes du box-office refléteront cette "débandade". A Claudia Cardinale, forte valeur de séduction et donc de profit pour les compagnies de cinéma, on a vivement conseillé de cacher sa maternité. Elle a obtempéré, donnant son enfant à sa mère et faisant semblant, jusqu'à la mort de celle-ci, qu'il s'agissait non de sa fille mais de sa sœur.

Et les femmes qui ne sont pas des stars de cinéma... imitent celles qui le sont. A l'instar de cette femme politique qui, quatre jours après la naissance de sa fille, s'est pointée au bureau en talons aiguilles, tous ses dossiers sous le bras, elles sont de plus en plus nombreuses à vouloir prouver que l'accouchement ne leur a "rien fait".

Maternité ? Une pichenette ! Même pas mal !

Double bind *de la modernité*

Il faut souligner l'extrême singularité de la situation où nous nous trouvons. Ayant réussi, d'une part, à séparer la séduction de la reproduction, et, d'autre part, à isoler, capter, et figer la beauté féminine en images, l'iconographie de l'Occident s'emploie désormais avec frénésie à éliminer du voyage de la femme à travers la vie toutes les étapes sauf celle où, déjà formée, belle et désirable, elle n'est pas encore mère. Traditionnellement, cette étape était très courte. Dorénavant, les fillettes de quatre ans, tout comme les femmes de quarante et les vieilles dames de quatre-vingt-quatre, s'acharnent toutes

– absurdement, désespérément, indéfiniment – à paraître dix-sept ans et demi. D'abord on cherche à avoir l'air *plus* âgée qu'on ne l'est, ensuite *moins* ; rares, du coup, sont les femmes qui peuvent être satisfaites de leur apparence en se levant le matin.

Alors que dans les sociétés traditionnelles il était considéré comme normal voire indispensable qu'une femme s'occupe de sa beauté pour devenir mère, aujourd'hui on oblitère toutes les phases de la vie *sauf* celle de la fécondité maximale (dix-huit – vingt-deux ans), dont on supprime au passage la maternité (l'âge moyen des primipares en France est de vingt-huit ans et demi) ! Fatema Mernissi a raison de dire que "le voile tissé par le temps qui passe [est] plus épais, plus absurde encore que le voile et le contrôle de l'espace des ayatollahs (…). Ce harem-là [est] inscrit dans la chair, comme marqué au fer rouge par les années qui défilent ; on ne [peut] même pas s'en échapper. La violence que constitue le harem occidental est peu visible *parce qu'elle est maquillée en choix esthétique*" (207, je souligne).

Sujet… objet. Sujet… objet. Théoriquement, notre réussite (comme celle des hommes) ne tient plus qu'à notre compétitivité, à notre volonté, à notre intelligence. Mais du matin au soir, les artéfacts de notre culture nous assènent au contraire qu'elle dépend de notre apparence physique. Nous tenons dur comme fer à prouver que nous sommes "des hommes comme les autres", libres de voter, d'aller dans les meilleures écoles, de viser les postes de pouvoir dans les entreprises, de décrocher les meilleurs boulots, de réaliser tous nos rêves… Mais au sein des entreprises, même les grandes, et dans les universités, même les meilleures, dans les bars, les cafés, les parkings, à la plage, surtout dans les rues des villes, les hommes continuent d'être des hommes et les femmes, des femmes, et cela continue à ne pas être la même chose*.

Voilà le *double bind*, la double contrainte de la modernité à l'endroit des femmes. Il les plonge dans des interrogations sans fin. Le vrai moi, se demandent-elles maintenant, est-ce la femelle atavique en moi qui souhaite séduire, être désirée et aimée par les hommes... et le faux, la bonne élève bonne citoyenne bonne travailleuse que je fais semblant d'être pour donner le change ? Ou au contraire, le vrai moi est-ce la bonne élève bonne citoyenne bonne travailleuse, et le faux, l'apparence, cette surface plus ou moins trompeuse que je donne à voir au monde ? *Où est le vrai et où le faux ? Suis-je mon corps, ou mon esprit ?*

Même si l'idéal de l'égalité entre les sexes rencontre l'approbation enthousiaste de leur esprit, il entre étrangement en collision avec ce qu'expérimente leur corps jour après jour... de façon tantôt euphorisante, tantôt effrayante.

Euphorisante parce que c'est formidable, aussi, de s'entendre dire que l'on est belle (peu de femmes sont imperméables à ce compliment), de sentir que l'on fait partie de la beauté du monde... et parce qu'on aime, aussi – parfois, c'est vrai, si on peut faire confiance –, baisser sa garde, abandonner son intelligence, son esprit critique, sa capacité d'analyse, et se laisser porter, emporter par le désir des hommes. C'est ce qui se passe dans l'amour : on n'est plus

---

* Je connais une universitaire italienne, grande spécialiste de l'intelligence artificielle mais par ailleurs femme d'une beauté rare, qui ne participe plus qu'aux colloques en ligne. Là, au lieu de se laisser distraire par ses atouts physiques, ses collègues mâles peuvent se concentrer sur le contenu de ses recherches.

personne ou on est toutes les femmes en même temps, et l'on aspire *aussi* à se perdre, à s'égarer, à se confondre avec l'espèce, à se laisser envahir par le féminin générique, oui c'est génial de n'avoir pas toujours à se prouver, à briller, à assurer, à demeurer assise sur ses lauriers, à cheval sur ses principes, à califourchon sur son dada et ses diplômes. On n'a pas envie d'être un "individu" à chaque instant !

Mais *effrayante* parce que, si l'on est femme, l'on peut aussi réellement se perdre dans cette affaire-là. Devenir femme perdue.

Il y a là de quoi plonger toutes les jeunes femmes dans une schizophrénie carabinée.

Le mannequin et la putain

Paul Claudel a fait preuve d'une prescience extraordinaire.

Impossible, en effet, de surestimer les changements opérés dans la vie des Occidentaux par la multiplication à l'infini de la belle Hélène, la prolifération hallucinante dans tous les foyers d'images de jeunes femmes magnifiques. Elles sont regardées, étudiées, détaillées, enregistrées, intériorisées, tant par les femmes que par les hommes, dans les magazines tant féminins que masculins, sur tous les écrans de télévision, d'ordinateur et de téléphone. Mais il ne s'agit, ici et là, de la même "Hélène". Nos sociétés font circuler deux idéaux différents de la beauté féminine qui n'ont en commun que d'être non maternels : *Elle* et *Lui* se tournent résolument le dos.

Elle : devenues plus sujets, les femmes en ont profité pour se faire plus objets, exacerbant comme jamais la transformation de leur corps en commodité. Sportif, autonome, aérodynamique et lisse, le corps auquel les femmes modernes consacrent tant de temps, d'énergie et d'argent est celui du *mannequin*.

Lui : La révolution du statut social de la femme s'est accompagnée non d'une baisse mais d'une très forte augmentation de la consommation masculine de chair passive, soumise et coopérative. Formes généreuses, généreusement offertes : la version de la beauté féminine que consomment de préférence les hommes est celle de la *putain*.

Et la femme occidentale de se retrouver dans cette situation plus qu'étrange : *au nom de la liberté* dans les trois cas, on l'incite, d'abord, à dépenser tout son argent pour se faire belle, ensuite à se considérer comme l'égale de son copain ou de son conjoint, et enfin, à accepter qu'il se masturbe en regardant des images de viol sur Internet.

Il est surprenant qu'à force d'essayer de concilier ces injonctions contradictoires, elle ne disjoncte pas.

VIII

LE NU CÔTÉ FEMMES

Regarde-moi, Don… admire-moi, Dan…
Peins-moi, Dave… Sculpte-moi, Jack…
Titille-moi, Fred… Chatouille-moi, Max…
Filme-moi, filme-moi, enfilme-moi…
Colle-moi, baise-moi…
Empale-moi, immobilise-moi…
Empêche-moi de partir à la dérive…
Attrape-moi, je t'en supplie… Retiens-moi…
Ligote-moi… Fouette, lacère, punis-moi…

N. H., *Angela et Marina.*

Croqués et croquants

2009. Vous dînez chez des amis à Paris. Entre la poire et le fromage, Z., un romancier, se vante de ce que, lors d'un récent séjour à la villa Médicis à Rome, il a fait la connaissance d'une dame d'un certain âge, ayant posé dans sa jeunesse pour le peintre Balthus. Aussitôt, vous mettez vos gros sabots dans le plat. "Et ?"

Z. ne comprend pas : vous n'avez donc pas compris ? Il bafouille un peu. "Ben voilà, c'est elle qui… c'est elle que… le grand Balthus… je ne sais pas si vous voyez…" Il ne voudrait pas avoir à commenter. C'est clair, non ? Cette femme, jadis une de ces très jeunes filles que l'artiste avait représentées plus ou moins endormies, assises les cuisses ouvertes, ou debout, maladroitement penchées sur une chaise de manière à révéler sa petite culotte, est aujourd'hui vieille et moche. Z. voudrait que, comme les autres, vous soyez impressionnée par le simple fait que l'ex-nymphette, dont l'effigie a provoqué pensées et sensations troubles dans les musées du monde entier, puisse s'être muée en femme replète, ridée et banale. "Et ? insistez-vous, grossièrement. Vous avez rencontré cette femme, et… ? Vous l'avez interrogée ?"

Non, bien sûr. Pas un instant Z. n'avait songé à demander à cette femme ce qu'*elle* pensait, petite, du grand Balthus, quelles avaient été ses rêveries pendant les séances de pose, quel avait été l'impact de ces séances sur son désir à elle, son érotisme à elle, dans les années post-adolescentes de son existence. Si l'histoire de Z. vous a laissée sur votre faim, c'est que les modèles de peintres – vous le savez, ayant vous-même fait partie de ce sous-ensemble de l'humanité – pensent à mille et mille choses.

Pour se dévêtir devant un regard professionnel, qu'il s'agisse d'un regard d'artiste ou de pornographe, les femmes peuvent avoir des motivations diverses.

Se montrer nue par besoin d'argent…

Alors que dans sa jeunesse new-yorkaise Anaïs Nin avait posé tout habillée pour des peintres et des boutiques de prêt-à-porter, en 1927, métamorphosée par quelques années de vie parisienne, elle décide de *suivre* des cours de dessin avec modèle nu à l'école de la Grande Chaumière.

Dès le premier jour, elle éprouve de la sympathie pour le modèle, une jeune femme visiblement affamée. "J'ai remarqué que le modèle, au moment de monter sur l'estrade pour poser, avait eu un geste timide de la main, comme pour se protéger des premiers instants de nudité – elle se soumettait avec gentillesse aux ordres des étudiants et ses poses révélaient un manque d'expérience. J'ai remarqué des traces de fatigue sur son corps et aussi de grands cernes sous les yeux, qui ne trahissaient pas seulement l'épuisement mais une profonde tristesse. Les étudiants la méprisaient. Ils ne lui adressaient la parole que pour lui reprocher d'avoir bougé ou pour lui demander de changer de pose. Je lui ai souri. J'étais troublée et j'éprouvais pour elle une grande pitié" (16 mars 1927).

S'ensuit, dans le *Journal* de Nin, ce passage étonnant : "Le lendemain matin, en plein milieu de la pose, elle se toucha la tête une seconde, devint toute pâle et, balbutiant quelques mots inintelligibles, s'effondra sur l'estrade." Nin se précipite au secours de la jeune femme. Non seulement elle part chercher du café et des brioches pour la nourrir, mais elle la prie de raconter son histoire, et – plus important encore – elle la transcrit : "Russe, parlant à peine le français, sans travail, avec un diplôme d'infirmière dont elle ne pouvait se servir, le loyer à payer et rien à manger… Elle pleurait, parlait et mangeait en même temps. Un bon moment après, elle a repris la pose, le corps secoué de temps à autre par un sanglot." "Les corps sentent – les corps souffrent, les corps trébuchent et tremblent. Est-ce le dessin que j'apprends ?"

Ayant elle-même posé, Anaïs Nin sait qu'un modèle, même nu, est un individu doté d'une histoire. Elle sait que même les jolies têtes ne sont pas vides.

... *par indifférence*

Exactement comme Nin, la jolie blonde Lee Miller quitte les Etats-Unis pour Paris vers l'âge de vingt ans. Elle rencontre des artistes à Montparnasse et tombe amoureuse de l'un d'entre eux, le photographe Man Ray. Celui-ci a la même lubie que Theodor, le père de Lee : encore et encore, il prie instamment la belle jeune femme de se dévêtir pour qu'il puisse la photographier nue. Ensuite, passionné par ce qu'il appelle le "processus réductif", Man Ray ôte des fragments du corps de Lee, attaquant et démembrant son effigie avec des couteaux, des balles de revolver, des chaînes... L'artiste intitulera une de ces photos, réalisée quand Lee a vingt-deux ans... *Suicide.*

"Les femmes ont l'habitude d'être regardées", écrira Miller à juste titre. Mais, là encore comme Nin, elle finira par se dire qu'elles sont capables non seulement d'*être* des images mais d'en *produire*. Apprenant à faire des photos, à les développer et à les tirer, elle deviendra l'assistante de Man Ray, puis sa disciple, puis sa rivale, et inventera même une nouvelle technique, la solarisation. Un jour, Man Ray ayant renoncé à tirer une photo qu'il a faite d'elle (son visage étant détourné aux trois quarts, on voit la ligne superbement délicate de la mâchoire et du menton ; on voit surtout, exposé, blanc, le cou vulnérable), Lee elle-même en fait un tirage, très réussi. Quand Man Ray le voit, il disjoncte. S'emparant d'un stylo rouge, il trace sur la photo une ligne meurtrière, coupant en deux le cou.

Miller finira par se séparer de Ray et repartir à New York, où elle travaillera au début des années 1930 comme mannequin de mode. Sur toutes les photos de cette époque, elle a un air absent, distant, lointain, presque onirique… Quelques années plus tard, elle fera des photos de nus destinées à devenir célèbres : celles de juifs morts, empilés à Buchenwald. Après cela, on dirait qu'elle ne voit plus quelles images elle pourrait faire : elle se marie et abandonne définitivement la photographie.

… *par angoisse*

Norma Jean Baker, mieux connue sous le nom de Marilyn Monroe, emblème universel du *sex-appeal,* a eu une jeunesse d'une instabilité effrayante. Sa mère Gladys est une *flapper* à la manière de Zelda Fitzgerald ; elle incarne la nouvelle image de la femme aux Etats-Unis, post-Grande Guerre et droit de vote. Elle travaille à Hollywood comme colleuse de négatifs pour les Consolidated Film Industries et a de nombreux amants ; les enfants la dérangent car elle préfère s'amuser dans des fêtes. Elle a tant d'aventures sexuelles que l'identité du père de Norma Jean, née en 1926, demeurera à jamais incertaine.

Presque tout de suite, Gladys place son nouveau bébé chez des voisins, les Bolender. La petite Norma passera avec eux les sept premières années de sa vie, sans jamais avoir le droit de les appeler "papa" et "maman". Membres de la Unified Pentecostal Church, les Bolender donnent à la fillette une éducation religieuse très stricte : pour cette famille (comme, un peu plus tard, pour celle de Jean Seberg), le monde est divisé en bien et en mal. "Durant le service, rapporte Oliver Stauffer le biographe de Monroe, elle se sentait tellement transportée qu'elle devait s'asseoir sur ses mains pour ne pas se déshabiller."

Enfin, en 1933, Norma Jean retourne vivre chez sa mère. Las ! à peine quelques mois plus tard, le suicide de son propre grand-père plonge Gladys dans une dépression profonde ; elle est internée dans une clinique psychiatrique et ne reprendra jamais une vie à l'extérieur. A l'âge de neuf ans, après deux ans passés chez Grace McKee Goddard, la meilleure amie de sa mère, Norma Jean entre dans un orphelinat de Los Angeles ; elle y restera cinq longues années. Sa solitude est telle qu'elle s'envoie elle-même des cartes postales signées "papa et maman".

Dans *Blonde*, la romancière américaine Joyce Carol Oates imagine ainsi les pensées de la future *sex bomb* à l'orphelinat :

"Il y avait un rêve qu'elle faisait tout éveillée, un rêve qu'elle adorait, continuellement présent dans son esprit comme un film qui ne s'arrête jamais : celui d'arracher ses vêtements pour être vue. A l'église, au réfectoire, à l'école, dans l'avenue passante et bruyante d'El Centro. *Regardez-moi, regardez-moi, regardez-moi* !

Son Amie magique n'était pas peureuse. Il n'y avait que Norma qui l'était. Son Amie-dans-le-miroir qui pirouettait toute nue, dansait le houla-houla, tortillait des hanches et des seins, souriait souriait souriait, jouissait de sa nudité devant Dieu comme un serpent jouit de sa peau sinueuse et scintillante. *Car je serais moins seule ainsi. Même si vous vous répandiez en injures. Vous ne pourriez regarder que MOI*" (115, souligné par l'auteur).

A onze ans, d'après Stauffer, Norma Jean "recherchait continuellement l'attention des responsables de l'orphelinat et leur affection ; elle présentait des périodes d'anxiété en subissant de plein fouet la dépersonnalisation et le néant émotionnel". Grace McKee Goddard la reprend mais, comme la jeune fille est très jolie et précocement formée, son nouveau mari lui fait des avances. Grace l'éloigne donc à nouveau, l'envoyant dans la famille d'une tante ; l'année d'après il faut l'en éloigner car son cousin Jack a tenté d'abuser d'elle...

Etant donné l'impressionnante carence d'amour dans l'enfance de Norma Jean, il n'est pas surprenant que lorsque, à l'adolescence, sa beauté commence à susciter l'approbation, l'intérêt et les avances des hommes, elle s'empresse de se nourrir à cet "amour"-là. A partir de l'âge de treize ans, à mesure que son corps se développe et qu'elle voit les avantages que cela peut lui procurer, elle se met à passer chaque jour de longues heures devant son miroir.

A dix-neuf ans, totalement fauchée, Norma Jean accepte de poser nue pour un calendrier ; son cachet est de cinquante dollars. Quelques années plus tard, alors qu'elle est devenue entre-temps la plus grande star du cinéma de tous les temps et signe des contrats pour des centaines de milliers de dollars, quelqu'un dégote ces vieilles images et les révèle au public. Scandale ! Les hommes qui gèrent sa carrière à la MGM sont furibards. Ils la convoquent, la réprimandent, mettent fin à son contrat. Ce sont *eux* qui ont créé "Marilyn Monroe" ! Sa chair nue leur appartient, à *eux* ! C'est à *eux*, non à elle, de décider quand et comment elle sera exhibée !

Depuis l'enfance : personne pour l'aimer, la tenir, la regarder, la rassurer, l'aider à établir, entre son corps et le monde, la bonne distance, celle qui lui aurait permis de se sentir à peu près viable, lui aurait donné le droit de fouler la terre de ses pieds. Toute sa vie, Norma Jean Baker éprouvera le besoin pathologique d'être regardée, "prise" en photo, filmée, captée, capturée sur pellicule. C'est une addiction, ce besoin-là. Dans un premier temps, il est grisant de se sentir désirée à ce point mais, à la longue, le désir des hommes anonymes et innombrables vous bouffe et vous bousille.

Le besoin d'amour est un puits sans fond. Pour le combler, "Marilyn Monroe" finira par se jeter dans l'abus de substances – abus qui finira par provoquer, à l'âge de trente-six ans, sa mort.

... par curiosité

A vingt et un ans, vous commencez à travailler un peu comme modèle à Paris, essentiellement par curiosité. Vous vous déshabillez mécaniquement devant des inconnus, gardez la pose le temps qu'on vous dit de la garder (trente secondes pour les élèves de la Grande Chaumière, dix à quinze minutes pour ceux des Beaux-Arts, jusqu'à une heure chez les sculpteurs), prenez les sous et partez. Au début, pour peu que la pièce soit normalement chauffée en hiver, ou rafraîchie en été, votre nudité ne vous fait ni chaud ni froid. Est-ce bien ou mal, de se déshabiller dans l'indifférence la plus totale – la vôtre, celle des gens qui vous observent ? Ni bien ni mal ? Les deux à la fois ?

La langue anglaise fait la distinction entre deux types de nudité : alors que *nude* implique le recul, le regard qui cadre et met à distance, *naked* fait sentir toute la vulnérabilité d'un corps dévêtu, exposé, intime ou intimidé. Lucian Freud explique qu'il se sert exclusivement de ses proches comme modèles, justement en raison de leur plus grande vulnérabilité : "Les modèles professionnels ont été tellement scrutés qu'ils ont fait pousser une deuxième peau. Quand ils ôtent leurs vêtements, ils ne sont pas nus *[naked]* : leur peau est devenue un deuxième habit" (Richardson). A en juger par cette définition, dans vos propres séances de pose vous êtes d'emblée une "professionnelle", car vous avez cette deuxième peau.

Mais… vous êtes belle, sans vêtements. Votre nudité est précieuse, elle est parlante. On vous le dit, vous êtes heureuse de l'entendre et, peu à peu, vous y prenez goût, à la pose nue. Louis Derbré, un des sculpteurs pour lesquels vous posez, vous montre les merveilles visuelles de votre corps. Il commence au sol, vous faisant remarquer le dessin formé par le vide entre vos deux pieds rapprochés. Vous êtes étonnée. Contente. Détendue. Derbré vous paie pour ne pas bouger et, du coup, votre esprit gambade. Des idées vous viennent, des vraies. C'est en posant pour Derbré que, jour après jour, semaine après semaine, vous élaborez les concepts pour votre mémoire de linguistique.

Mais il n'y a pas que cela. La vérité, c'est que vous aimez à passer de longues heures seule à seul avec l'artiste. Sentir le regard à la fois intense et impersonnel de l'homme sur votre peau, sur vos formes. Sentir qu'ensemble vous faites quelque chose de fort. Sentir, oui, aussi, cela ne fait aucun doute : une telle électricité, entre vous et lui ! C'est même l'un des ingrédients indispensables de l'œuvre d'art. A partir de la matière inanimée, le désir entre vous et lui fera naître une troisième entité qui sera non un enfant mais une effigie, magiquement vivante…

Vous tremblez un peu. C'est le cas le plus pur, ce tremblement : il traduit votre acceptation du trouble dans l'air.

Mon amie S. m'écrit : "T'ai-je jamais raconté mon (unique) expérience de pose nue, à seize ans ? (…) Notre voisin direct était un sculpteur hongrois, il avait alors environ cinquante ans, sculptait dans le marbre blanc des formes pleines et rebondies, et lorgnait avec quelque concupiscence mes rondeurs adolescentes. Il taraudait mes parents du vœu que je vienne poser chez lui. J'avais un peu envie aussi, et un beau jour de vacances, mes parents m'y ont incitée. (…) Premier jour de pose. J'éprouve ce genre d'émotion et de rêverie que tu décris. Deuxième jour, ah, ça se corse. L'artiste s'approche, et vient me démontrer la beauté de cette ligne entre mes cuisses, là où le muscle se détache du bassin. Il touche, dessine, caresse. «Ah, que c'est beau, que c'est beau !!!» s'exclame-t-il. Je regarde, assez fière à mon tour. Mais voilà qu'il se précipite, la moustache bavante, sur ma vulve, me suppliant : «Laissez-vous embrasser, laissez-vous embrasser.» Je suis vierge, c'est la première fois que je suis nue devant un homme, c'est la première fois qu'un homme tente de m'embrasser le sexe. La sensation n'est pas bien agréable. Le pire est qu'il ne bande même pas, malgré son excitation qui le fait ahaner, suer… et enlever son pantalon. Je vois et sens une espèce de chose molle et vraiment pas ragoûtante, de longs testicules qui pendent. Beurk. Je m'enfuis et me rhabille. Fin des séances de pose…"

La grande danseuse américaine Isadora Duncan décrit dans son autobiographie des séances de pose semblables avec Rodin, lors de son arrivée à Paris à l'âge de dix-neuf ans ; à la différence de S., elle dit regretter ne pas avoir offert sa virginité à cet immense génie, comme il l'avait ardemment pressée de le faire…

… *par plaisir*

De nos jours, d'innombrables jeunes femmes se photographient et se filment nues, écartelées, pantelantes… et postent de leur propre gré ces images sur le Net. Elles ne se vendent pas mais s'offrent en cadeau, se dorent et s'adorent sous le regard d'hommes inconnus… parfois dans l'espoir d'une rencontre, parfois simplement pour prendre du plaisir à imaginer le plaisir que prendront ces hommes à les regarder.

Plaisir pur de l'exhibitionnisme féminin, aussi, dans *Tournée*, film de Mathieu Amalric sur une troupe de strip-teaseuses américaines, complices entre elles et fières de leur spectacle de "nouveau burlesque" : "C'est très amusant, dit l'une d'elles. C'est comme le jeu, comme du théâtre, on n'arrête pas de se déguiser. Et on distrait le public tous les jours – comme la Vierge Marie !" Leur *show* suscite d'ailleurs autant d'enthousiasme chez les spectatrices que chez les spectateurs.

Il n'y a pas que l'aliénation, la spoliation, la névrose et la psychose, les voyeurs obsessionnels et les exhibitionnistes désespérées ; parfois le désir qu'ont les femmes de se montrer nues est aussi simple et spontané, aussi joyeux et évident, aussi *excitant*, que celui qu'ont les hommes de les regarder.

IX

LE NU CÔTÉ HOMMES

Quand je pense aux photos de moi sur le Net qui ont mené tant d'hommes à se branler et à ma contribution à ce qu'il y a de pire, au détournement des masses envoûtées qui s'imaginent que les femmes les réclament...

NELLY ARCAN

Le peintre et son modèle

Entre le désir de peindre (sculpter, photographier, filmer) le corps nu d'une femme et le désir de le "prendre", la frontière, on l'a vu, est parfois floue. Il arrive qu'un peintre paie une fille d'abord pour ceci puis pour cela ; une pute peut lui servir de modèle et un modèle peut lui servir de pute. On sait à quel point les prostituées fascinaient Toulouse-Lautrec ou Degas à Paris, Schiele à Vienne, Picasso à Barcelone... Quand j'aborde ces questions au détour d'une conversation, on m'objecte presque toujours : "Mais enfin les yeux des femmes captent aussi, et les corps d'hommes sont captés ! Les femmes aussi sont peintres, photographes, entremetteuses, consommatrices de pornographie ! Les hommes aussi sont modèles de peintre, mannequins, prostitués, acteurs de porno... Appelons cela «travailleurs du sexe» et finissons-en. Unisexe !

177

Monosexe ! Théorie du genre ! Vous êtes sourde ou quoi ?!"

Têtue, je reste persuadée que les comportements désirants, érotiques, visuels, séducteurs, artistiques des hommes et des femmes ne sont pas symétriques, interchangeables... et ne le seront jamais.

Dans une nouvelle de Bernard Malamud intitulée *Le Modèle*, un retraité qui avait peint dans sa jeunesse demande à une agence de lui envoyer un modèle. La séance se passe mal car l'homme est de plus en plus troublé ; pour finir la femme se lève et dit : "J'ai sincèrement l'impression que vous ne m'avez pas peinte du tout. Du reste il me semble que ce n'est pas la peinture qui vous intéresse. Ce qui vous intéresse, c'est de laisser vos yeux errer sur mon corps nu, pour des raisons bien à vous. Je ne sais pas quels sont vos besoins personnels, mais je suis sûre et certaine qu'ils ont peu à voir avec la peinture." Horriblement gêné, le vieil homme se confond en excuses, mais la femme ne s'en tient pas là. "Je suis peintre, dit-elle, et je pose parce que je suis fauchée mais je sais reconnaître un imposteur quand j'en vois un." Pour laver l'affront, elle exige que le vieillard se déshabille et, tandis qu'il se tient là devant elle, nu, pitoyable, couvert de honte, elle le croque avec talent et mépris.

Le rapport entre le peintre et son modèle est un domaine trouble dans lequel existent mille "dégradés" possibles, dont certains, dégradants. Il y a les vrais artistes qui voudraient sauter leur modèle à la fin de la pose. Les faux, antipathiques, qui transforment tout en pornographie. Les faux, sympathiques, qui ne savent ni dessiner ni peindre pour deux sous, mais vous supplient humblement de vous déshabiller car ça fait si longtemps...

Mes amis artistes F., G. et H. ont tous travaillé ou travaillent encore avec des modèles nus.

*

F. : Il y a le mystère du corps, quel qu'il soit. Quand moi je fais des nus, qu'est-ce qui se passe ? Au début il y a une sublimation totale : le désir est complètement oblitéré par le problème de la représentation. Parce qu'on ne sait jamais *comment* on va le faire. Là, on est entièrement dans la problématique de la *beauté esthétique*. C'est différent pour chacun, c'est une question d'interprétation. Mais il y a le moment où l'on a trouvé la solution... Le désir commence à ce moment-là... et à la fin, on a vraiment envie de la sauter. Parce qu'on l'a possédée, d'une certaine façon, avant. On est le maître, là, et *le maître se doit de prendre*. Que cela se passe ou que cela ne se passe pas, le désir est là. Je n'ai jamais pu travailler, en nu, avec des corps que je n'aimais pas.

*

N. : *Dirais-tu qu'il y a du désir qui circule dans ces situations-là ?*
G. : C'est presque du désir transféré. Quand je fais un travail avec un modèle vivant, que ce soit par rapport au dessin direct ou à la photographie, la recherche artistique prend le dessus. Je pense que la recherche est imprégnée de désir en amont et en aval ; on voit mal quel serait l'intérêt de travailler le corps humain sans travailler cet aspect-là.
En amont : pour que la peinture existe vraiment, on est obligé d'y mettre de sa propre corporalité, de sa propre sensualité, de sa vie, et en fait c'est ça

qui est le moteur de l'histoire. Je ne suis pas sûr d'être très différent si j'aborde un corps humain ou un paysage. Mais après, le résultat : si ça se passe bien, ça me met dans une attitude qui me permet d'être vraiment bien dans cette corporalité, cette sensualité, cette sexualité-là et, par extension, qui permet d'aimer cette attitude-là. C'est plutôt le désir qui est issu de la peinture que l'inverse.

En aval, je vais reprendre ces images – soit à partir d'études directes au crayon, soit à partir de photos – et ensuite les sélectionner, les recadrer, mettre en évidence des choses qui correspondent à cette intention du départ, dont le désir fait partie, qui vont le préciser et devenir un peu une réponse à ça. Pour moi le choix d'un modèle qui, en l'occurrence, devient mon "sujet", c'est ce qui va me permettre de dire ou de toucher certaines choses, et en fait c'est par la peinture que je vais pouvoir les dire. Je pourrais à la limite peindre n'importe qui, mais je ne peux pas faire l'amour avec n'importe qui. Donc il y a l'utilisation d'un sujet, d'un modèle, pour dire quelque chose à travers la peinture.

N. : Ça ne t'est jamais arrivé de vouloir faire l'amour avec un modèle simplement parce que tu l'avais peint ou "croqué" ?

G. : Non.

N. : Le désir serait résorbé dans la peinture, presque, plutôt que d'en sortir ?

G. : Ce serait plutôt dans ce sens-là, oui. C'est difficile à analyser parce que c'est tellement imbriqué, ce dont on est fait, entre désir, désir sexuel, désir d'aimer… Souvent, quand même, on me dit que mes dessins et ma peinture sont sensuels, voire érotiques… En fait la recherche me permet d'avoir à cela un rapport un peu dégagé de l'anecdote. C'est la différence entre le *désir du sujet* et le *désir d'être dans le sujet*.

*

N. : Peux-tu décrire comment se déroule une séance de pose dans ton atelier ? Un bon jour, avec un bon modèle féminin ?

H. : Une fois que je commence à regarder vraiment, si ça marche bien, je suis dans un état d'excitation totale, c'est même pour ça que je ne peux pas parler. Certains modèles parlent beaucoup – ça ne me dérange pas mais je suis incapable de répondre, parce que j'essaie d'être *dedans*. Par exemple si je dessine une jambe ou une cuisse, à mesure que le crayon ou le pinceau traverse la page, j'essaie d'être *dans cette ligne*. Je ne regarde presque pas le papier, j'essaie juste de suivre la ligne et de la vivre.

N. : C'est comme si tu étais dans le corps du modèle ?

H. : Oui. Et plusieurs modèles m'ont dit le vivre ainsi, de leur côté. Certainement c'est voyeuriste, mais c'en est justement la beauté. Je suis un voyeur et, d'une façon ou d'une autre, un bon modèle est une exhibitionniste. Elles ont envie d'être dans un lieu sûr, où elles savent qu'on ne va pas les agresser… Certaines d'entre elles s'offrent de façon magnifique.

N. : Tu disais que parfois tu vois leur sexe se mouiller…

H. : C'est arrivé une ou deux fois, oui, et ça me bouleverse totalement. Souvent elles sont gênées… mais je pense qu'une des raisons pour lesquelles je n'ai jamais de problème pour trouver des modèles c'est qu'elles savent que je ne vais pas leur sauter dessus.

N. : Si ça évolue lentement, si ça devient un rapport sexuel après la séance, d'accord.

H. : Oui, c'est ça. Les modèles disent que souvent on les appelle, on fixe un rendez-vous, elles vont chez le type et en fait ce n'est pas vraiment un artiste, ou alors ce n'est que partiellement un artiste et ce qu'il veut, au fond, c'est se soulager. Bon, moi je ne suis certainement pas un ange, mais si tu ne mets pas *tout* dans cette ligne, dans le fait de suivre la courbe de la cuisse, ton dessin est foutu. De ce point de vue l'art ne pardonne pas ; on ne peut pas vraiment tricher.

Les gens pensent qu'un modèle doit avoir un corps super, etc., mais ce n'est pas ça du tout. *Tout est dans l'esprit.* J'ai eu des femmes très grosses ou très maigres qui... je ne sais pas quelle est cette notion de grâce mais, dès qu'elles se mettaient à poser, elles étaient absolument extraordinaires.

En tant qu'homme, le sexe féminin – la petite fleur – je ne sais pas pourquoi mais ça agit comme un aimant ; tu as toujours envie de le regarder, tu as toujours envie de le voir. Et c'est merveilleux de le dessiner.

Le plus souvent, maintenant, je demande aux modèles de me regarder pendant que je les dessine. Ça fait circuler l'énergie... Si elle regarde ailleurs et je ne fais que la suivre, c'est presque comme dessiner une pierre – il n'y a pas la conscience. Mais si elle me regarde en train de la regarder et de suivre cette fameuse courbe de sa cuisse, elle s'excite à son tour et son excitation rehausse la mienne. Dans la plupart des dessins, j'essaie d'inclure au moins un indice... pour que ce ne soit pas *que* le corps. Ce qui est fascinant ce n'est pas que le sexe, c'est *la personne* qui est là-dedans. Mais c'est là que c'est ambigu pour moi en tant qu'homme, parce que je suis bel et bien obsédé par *"que le sexe"*, et parfois j'ai envie de focaliser là-dessus.

Une chose que je trouve émouvante... Je ne regarde jamais mes dessins à mesure que je les fais, parce qu'ils ne me satisfont pas. Ça ne me dérange pas si le modèle les regarde, mais moi je n'ai pas envie de les voir avant la fin de la séance, alors j'ai tendance à ne pas y toucher. Mais ensuite, pendant qu'elle se rhabille, je les étale pour qu'on les regarde, et souvent elle s'exclame : "Mon Dieu que c'est beau !" – comme si elle ne se rendait pas compte à quel point elle est belle. Je pense que pour les femmes en général, en grandissant – je l'ai vu avec ma propre fille –, il y a tant de "ça c'est pas comme il faut, ça c'est imparfait, ça c'est pas bien"… Quand tu vois un dessin de toi-même c'est différent, parce que c'est l'expérience que quelqu'un a eue de toi.

Hommes modèles

F. : N'oublions pas les artistes grecs. Ils ont quand même représenté le corps des garçons… Mais là il y avait un code sexuel particulier : un homme mûr avait le droit et même le devoir d'initier et d'aimer un éphèbe.

N. : *Je sais bien que les Grecs de l'Antiquité – comme du reste les sculpteurs et peintres de la Renaissance – magnifiaient la beauté des jeunes hommes. En revanche, je ne trouve pas un seul exemple de femme ayant dessiné, croqué, peint le corps masculin de façon obsessionnelle, tout au long de sa vie, comme l'ont fait des milliers d'artistes hommes avec le corps féminin.*

F. : C'est certain : il y a une véritable *hantise* de l'artiste mâle par rapport au corps de la femme. Pourquoi ? Je dirais qu'il y a une harmonie intrinsèque au corps de la femme, une harmonie que l'homme n'a pas. Il ne l'a pas parce que son sexe est à l'extérieur, et détruit la symétrie. Surtout que le mâle humain a des parties sexuelles beaucoup plus grandes, proportionnellement, que les autres mammifères. Un homme nu est un peu ridicule, avec ce gros truc qu'il a entre les jambes.

N. : C'est gros ou petit selon les moments, c'est surtout très variable. Justement dans la statuaire grecque il est présent, sans être en érection.

F. : Oui mais, en moyenne, il est plus petit d'un tiers que dans la réalité. Pourquoi ? Parce qu'on ne peut pas l'effacer complètement (ou alors on fait une feuille de vigne idiote), mais si on le représente de façon réaliste il est trop présent, ça tue les lignes.

*

N. : Je sais que tu as parfois posé pour toi-même... as-tu déjà posé pour quelqu'un d'autre ?

G. : Non.

N. : Et quand tu as dessiné des nus étant très jeune, c'était à partir de quoi ?

G. : Essentiellement à partir de photos. A l'adolescence, je n'aurais pas pu imaginer amener une fille ou une femme pour poser nue, puisque je travaillais dans la maison, donc auprès de ma mère. (Et quand ma mère, en fouillant dans ma chambre, a trouvé mes dessins de nus, elle les a détruits.) Après l'adolescence, vers vingt ans, à partir de modèles vivants.

N. : Que ce soit garçon ou fille.

G. : Plutôt fille à l'époque et, plus récemment, les deux. Dans le cadre des cours de dessin que je propose à l'académie, c'est plus souvent des femmes qui viennent poser, mais pour mon travail personnel, je travaille plus le nu masculin.

*

N. : Tu préfères travailler avec des nus féminins, par opposition aux masculins ?

H. : Eh ben *ouais* ! Je ne suis pas insensible à la beauté du nu masculin, je m'en sers dans mes cours… La plupart des bons modèles masculins avec qui j'ai travaillé (je me sers très souvent de danseurs brésiliens) sont gays. Ce n'est pas un choix de ma part, c'est juste que les gays sont beaucoup plus à l'aise et créatifs avec leur corps que les hétéros. Souvent, les hétéros qui posent vont faire, genre…

N. : Rouler les mécaniques ?

H. : Ouais, des trucs très plats, à deux dimensions. Une chose qui rend le corps masculin si intéressant c'est le phallus, mais pour dessiner un pénis en érection pendant trois heures, il faut que le mec soit hyperdoué. De toute façon on ne pourrait jamais faire ça en cours !… Parfois, quand il y a un mec sexy – même si je suis hétéro je n'y suis pas insensible –, je peux sentir la concentration de mes élèves femmes. Je le sens quand il y a une femme très sexy aussi. Oui, les filles apprécient aussi la beauté féminine… Mais quand même, je pense que ce n'est pas la même chose. L'homme est tellement *visuel* : la vue d'une femme nue lui envoie littéralement du sang au cerveau et à la bite. Les artistes femmes que je connais ont tendance, elles aussi, à utiliser des modèles féminins. L'homme modèle est vraiment sous-utilisé, de nos jours.

Art versus *pornographie*

Dans l'ensemble, la pornographie, comme l'art érotique depuis l'Antiquité, reflète les fantasmes masculins, qui sont divers mais dont deux reviennent

de façon systématique pour ne pas dire obsessionnelle.

Premier fantasme : celui d'une virilité infaillible
et infatigable. On peut en déduire qu'avant comme
après l'invention du Viagra, les hommes ont eu des
inquiétudes à cet "endroit", et se sont toujours iden-
tifiés imaginairement à des hommes plus perfor-
mants qu'eux sur ce plan. Dans les fresques érotiques
à Pompéi, par exemple, la virilité triomphante est
incarnée non par les banals habitants de la ville,
mais par des Pygmées et des satyres.

Deuxième fantasme : celui d'un corps féminin,
jeune voire très jeune, offert, voluptueux, indéfiniment excitable et excitant. Là aussi, on peut en déduire que les femmes réelles se montrent, souvent,
moins disponibles pour le plaisir que les femmes
imaginaires.

Je fais partie de ceux qui posent *a priori* un
sceau de respectabilité sur la peinture et éprouvent
de fortes réserves à l'égard de la pornographie,
mais... où passe au juste la frontière entre les deux ?
Ici comme là, on peut être physiquement ému par
des images qui "nous parlent", "vont nous chercher" dans le corps... Irina Ionesco, elle-même le
fruit d'un inceste entre sa mère et son grand-père,
prétendait faire de l'art, mais elle a gâché l'existence de sa fille Eva en la photographiant à partir de l'âge de six ans dans des poses lascives, et
en vendant ces "œuvres d'art" à de riches collec-
tionneurs : c'est l'histoire que raconte le film *My
Little Princess*...

S'agirait-il d'une simple question de milieu, de
classe sociale ? Les gens moins instruits sont-ils
plus susceptibles de surfer sur le Net à la recherche
d'images "chaudes" ? Ou cela ne dépend-il que
de l'horaire : un même homme peut-il se nourrir de

peinture le jour et de porno la nuit ? Chacun cherche son émotion où il peut ?

A mon sens c'est Annie Leclerc qui, dans son essai *Hommes et femmes* (1976), a le mieux cerné en quoi consiste la différence : l'art laisse une place au mystère, la pornographie, non. "Ils disent que c'est grande audace, libération, ils disent, les porcs qui s'en engraissent, que c'est le progrès, la fin du péché et de la honte, ils disent qu'ils pourfendent les anciens tabous du plaisir... Si l'intime se défait, si l'on assassine le secret, le caché, le dedans, le noir silence de l'origine et de la fin, le sang épais des entrailles, les viscères du monde, c'est la catastrophe. Le dehors n'est plus le dehors, plus rien n'est rien. Et ça basculerait dans le non-sens, la folie, l'aphonie, l'impossible réel, la non-pensée, le non-désir. Ce serait rien. De nouveau rien. Le chaos, les ténèbres" (47).

J'ai encore interrogé à ce sujet mes amis artistes, et ils m'ont répondu de façon subtile.

*

F. : Quand je regarde les dessins de Matisse, par exemple, j'ai l'impression de quelqu'un qui touche à un mystère. Et quand je vois ses lignes, étant donné que je ne les vois pas avec mon côté "hormonal", je les vois avec quoi ? Parce que *c'est* la beauté ! Ce n'est simplement pas la beauté *incarnée*. On ne peut pas bander rien qu'en regardant un dessin de Matisse. Sauf si ça me rappelle "mon bordel à Tanger". Si j'ai eu une expérience de bordel à Tanger, et que je regarde un tableau orientaliste de Matisse... mais ça, ce n'est pas regarder Matisse, c'est avoir un souvenir. Donc quand on parle de la beauté, il ne faut pas la réduire au désir sexuel, même quand c'est la beauté féminine perçue par les hommes. La beauté, c'est toujours : aller de l'autre côté du miroir.

*

G. : Toutes les photos à caractère pornographique, qu'elles soient douces ou plus *hard*, peuvent avoir quelque chose d'attirant dans un temps très court. Au-delà de l'idée qu'on peut ne pas être d'accord sur cette forme d'exploitation, en fait ce qui réagit c'est le corps. Je me rends compte que si je vois défiler très brièvement des images pornographiques, je peux ne pas être forcément indifférent – ça réveille quand même quelque chose, ce serait malhonnête de dire que ça ne me fait aucun effet – mais si je m'y arrête, cet effet est très court, et très vite n'a plus d'intérêt.

Le nu peint a un caractère totalement différent, et l'intérêt qu'on lui porte est lié à l'intérêt de la peinture : si ce n'est pas une bonne peinture, ça a beau être un super-modèle, l'intérêt ne va pas être plus long. J'ai eu un enseignant quand j'avais treize, quatorze ans, il était génial parce qu'il nous montrait beaucoup de peintures de la Renaissance et ainsi de suite. Il nous a dit, en s'adressant aux garçons : "Je comprends bien qu'à votre âge, vous ayez envie de voir des femmes nues… *Regardez-les dans la peinture.*" Voilà. En fait le peintre établit – pour autant que ce soit un bon peintre – un rapport juste avec ce sujet*.

---

* Autre ton, même message… A quelqu'un qui lui demandait ce qu'on fabriquait dans des cours avec modèles nus, l'assistant d'un sculpteur canadien a répondu, lapidaire : "Des gonzesses qui durent" *("Chicks that last").*

N. : Dans la pornographie, l'individualité de la femme n'est pas requise. Il n'y a pas "quelqu'un derrière", surtout pas. Ni des hommes ni des femmes. Ce sont de pures mécaniques. Serait-ce cela, la grande différence ?

G. : Oui. Mais on peut aussi faire la même réflexion pour toutes ces photos hyper-lisses, dans la mode, dans la pub, où les femmes sont là au même titre que des objets, on montre leur visage… Culturellement, une femme qui a été super-maquillée et dont on a fait une super-photo très élégante, c'est plutôt valorisé, mais on l'a quand même réduite au rang d'objet. On a décidé qu'on allait tout ignorer de sa personnalité, de ce qu'elle représente, qu'on n'accepterait rien d'elle à ce moment-là que sa perfection ; qu'on allait gommer ses imperfections, et que, le jour où ses perfections ne seraient plus valables, on la mettrait à la poubelle.

On suscite un faux désir, et à ceux qui y goûtent ça donne un genre de plaisir… *sans fin parce que sans substance.* C'est juste de l'illusion, un peu de poudre aux yeux. Et comme cette image de la femme est idéalisée en tant que canon esthétique, mais qu'on ne peut pas la regarder longtemps parce que l'intérêt qu'elle suscite ne tient pas longtemps, il faut en regarder d'autres, et après d'autres, et encore d'autres. Ça devient une sorte de dépendance. Ça fonctionne comme l'alcoolisme, la toxicomanie ou la dépendance au jeu : il y a l'accoutumance, il en faut toujours plus, et en même temps ce n'est jamais satisfaisant…

N. : A quoi correspond, à ton avis, ce besoin des hommes de regarder les femmes ?

G. : Les spécialistes le diraient mieux que moi, mais je crois que c'est lié à la survie de l'espèce. C'est le point de départ ; ça devrait juste bien fonctionner pour perpétuer l'espèce : faire des enfants et voilà.

Le problème, c'est que la prédisposition à regarder les femmes donne à l'homme *cette part de vulnérabilité à la dépendance des images du désir.* Autrefois ça n'existait que dans les milieux aristocratiques, où il y avait la possibilité de multiplier les expériences, les désirs sexuels par rapport à la femme. Maintenant ça s'est démocratisé… Et comme on est dans une société où c'est encore plus difficile de trouver ses marques – parce qu'on est confronté moins à nos besoins fondamentaux, la nourriture et le logement, et plus au besoin de trouver un sens à la vie –, on se distrait de notre malaise par ces choses-là… Et comme ça ne tient pas, il en faut plus, plus, plus… Je pense que c'est ça, la différence entre les hommes et les femmes : l'homme, dans sa structure psychologique, est beaucoup plus vulnérable à ce comportement-là. Ça fonctionne très bien chez lui ; ça fonctionne moins bien chez la femme.

N. : *Tu veux dire que les femmes sont moins tributaires de l'œil ?*

G. : Oui. Si je n'avais pas la peinture, l'art, comme moyen, si j'étais un homme sans éducation, je pense que ça serait vite la même chose… Le fait d'avoir touché à autre chose me fait vite sentir que ce n'est pas intéressant et voilà, je peux m'arrêter là. Mais si je n'avais pas un travail satisfaisant, si je m'ennuyais dans ma vie, je ne sais pas de quelle manière je serais capable de résister… Pour bien dire que c'est notre caractère physique et psychologique, à nous les hommes. Voilà. On pourrait dire : désolé d'être un homme.

*

N. : *D'après toi, quelles sont les différences entre les dessins ou tableaux de nus et les images pornographiques ?*

H. : A mon sens, la pornographie est liée à l'invention de la photographie. Je suis sûr qu'il existe une vaste zone grise, mais je ne connais pas beaucoup de *dessins* réellement choquants. J'ai regardé ces derniers temps beaucoup de dessins japonais... Il y en a qui sont très "osés", mais aucun qui me paraisse pornographique. Quand je pense à la pornographie – sur Internet, par exemple – je me dis que c'est comme le *fast food*. McDonald's, toutes ces entreprises, savent que si tu fabriques de la bouffe bon marché et rapidement disponible, les gens qui ont faim vont venir s'empiffrer chez vous ; du coup, aux Etats-Unis, tu as tous ces gens énormes, en mauvaise santé... D'une certaine façon la pornographie c'est pareil. Ils aiment quoi, les hommes ? De gros lolos. Alors les femmes vont se faire injecter du silicone, les mecs vont se shooter au Viagra, il y aura de gros plans sur des bites qui entrent et sortent... pour moi, c'est du *fast food*. C'est vrai, il y a des *milliards* de ces images sur le Net, une quantité inimaginable... Et ce que je ne comprends pas, c'est pourquoi tout le monde fait la même chose. Ce n'est même pas inventif !

Quelqu'un qui passe sa vie à faire de la pornographie, ce n'est probablement pas une lumière. Quand on écoute des interviews avec ces mecs-là, la plupart semblent être des gens plutôt grossiers et moches, alors ils font des films grossiers et moches. Les grands cinéastes – il doit bien y en avoir *quelques-uns* à avoir fait de grands films érotiques, mais je ne les connais pas. C'est un vrai problème, pour les jeunes de notre époque ! Quand j'étais gamin, *Playboy* ne montrait jamais les poils du pubis... et puis, quand j'ai eu peut-être douze, treize ans, *Penthouse* a commencé à montrer les poils du pubis. Pour moi c'était l'électrochoc, j'ai cru que le ciel s'ouvrait, pas seulement les jambes ! Maintenant je pense à mon fils… On n'en a jamais parlé, mais ils sont tellement inondés par toutes ces images, je ne sais pas ce que ça fait à leur vie sexuelle…

N. : Oui, ça peut difficilement rester sans effet sur la manière dont ils iront à la rencontre des femmes réelles. Beaucoup de garçons de nos jours sont "biberonnés" à la pornographie, Internet est la principale voire l'unique source de leur éducation sexuelle. A huit ou neuf ans, avant d'avoir eu le début d'une expérience personnelle, ils commencent à regarder des films avec viols, fellations forcées, et ainsi de suite… Pour certains, ces gestes deviennent tellement banals que s'ils participent à des tournantes et sont interpellés pour viol, ils ont du mal à comprendre ce qu'on leur reproche.

R. : Je ne connais pas la solution, parce qu'on ne peut pas recommander la censure. Peut-être qu'on devrait inventer, pour la sexualité, l'équivalent du mouvement *slow food*.

N. : Et si on rendait obligatoires des cours de nu dans tous les collèges et lycées du pays, ça ne serait pas un bon antidote à la pornographie ?

H. : Sans doute que oui. Parce que la pornographie, automatiquement, c'est un truc qui doit être caché. Mais là, il y a une femme réellement nue devant toi, et tu as non seulement le droit mais le *devoir* de la regarder, et de *bien* la regarder, pour produire un dessin équilibré… Tu regardes *la réalité* de ses fesses, ses lolos, ses lèvres, ses chevilles… ou la queue du mec… Oui, ce serait certainement un progrès. Sinon, c'est la pornographie ou rien.

*

La pornographie, tout comme l'industrie de la beauté, a "explosé" grâce aux progrès technologiques de la civilisation occidentale. Alors que, jusqu'au XIXe siècle, les hommes échangeaient entre eux blagues salaces, dessins cochons ou, tout au plus, dans l'aristocratie, gravures libertines, de nos jours s'ils s'ennuient pendant une réunion de travail ou un cours de maths, ils n'ont qu'à cliquer sur leur iPhone pour pouvoir zoomer sur la photo d'une vulve béante, ou le film d'une sodomisation…

Pour la pornographie comme pour l'industrie de la beauté, les chiffres laissent sans voix. En ce moment il existe plus de 4 millions de sites web pornographiques, comportant plus de 400 millions de pages (dont plus de la moitié américaines) ; l'âge moyen du premier contact avec la pornographie est de onze ans ; 90 % des enfants entre huit et seize ans ont vu de la pornographie en ligne en faisant leurs devoirs ; 40 millions d'adultes états-uniens regardent régulièrement de la pornographie sur Internet ; chaque seconde dans le monde 30 000 personnes se connectent à un site pornographique ; entre 1992 et 2006 les bénéfices tirés de la vente de vidéos pornos aux Etats-Unis sont passés de 1,60 à 3,62 milliards de dollars… Les revenus annuels de l'industrie pornographique sont supérieurs à ceux, cumulés, de Microsoft, Google, Amazon, eBay, Yahoo !, Apple, Netflix et EarthLink.

Au risque de nous choquer, nous autres Occidentales qui, par opposition aux "pauvres femmes voilées et opprimées de l'Orient obscurantiste", sommes fières de notre autonomie insolente, libres de nous balader nez au vent, tout comme les hommes n'est-ce pas, dans tous les quartiers et à toutes les heures n'est-ce pas, seules, triomphales, grandioses, inviolables n'est-ce pas, Annie Leclerc achève sa déploration de la pornographie avec un éloge du voile : "Plutôt l'ombreuse et définitive prison du voile que la nudité livrée irrémédiablement à toutes les sauvageries de la lumière. Plutôt à jamais cachée que toujours et inexorablement exposée. Non vraiment, je ne vois pas comment on pourrait faire sans voile. Et d'abord, que deviendrait la vérité s'il n'y avait plus de voiles ? S'il n'y avait plus d'espace, plus de vide entre ce qui se voit et ce qui ne se voit pas ? Si tout était dehors, étalé au grand jour, s'il n'y avait plus rien au-delà des apparences, alors la parole s'étoufferait, le désir mourrait" (117).

Trente-cinq ans après la publication de *Hommes et femmes*, serions-nous en train de nous diriger effectivement, à travers la dénégation de la différence des sexes, la commercialisation éhontée de la séduction, la banalisation absolue de la pornographie et le refus du mystère, vers la mort du désir ?

X

L'IMAGE FAITE CHAIR,
LA CHAIR FAITE IMAGE

> *Comment cette masse de putains a-*
> *t-elle pu se former ainsi, à l'insu de l'inté-*
> *rêt public (...) eh bien elles le sont deve-*
> *nues sur le chemin de l'école (...), la*
> *petite jupe d'écolière que le vent soulève*
> *sur la petite culotte blanche, elles le*
> *sont devenues dans le regard qu'on a*
> *porté sur elles et elles le resteront jusqu'à*
> *la fin, jusqu'à ce que la vieillesse les*
> *rattrape et les renvoie sous les draps*
> *où elles pourront longuement repenser*
> *à leur démarche de jupe soulevée par*
> *le vent, à leur vie de se déhancher...*

NELLY ARCAN

Cendrillon et Petit Chaperon Rouge

Nombreuses sont les fillettes qui se rêvent en Cen-drillon – ah ! quitter l'ennui et la médiocrité de la famille pour se réveiller princesse dans les bras d'un prince charmant ! – et qui, en s'éloignant de la maison, se muent soudain en Petit Chaperon Rouge et se font dévorer par des loups. Les héroïnes de ces deux contes de fées ont quelque chose en commun : elles grandissent *sans père*, entourées de mères et de marâtres, de grands-mères et de belles-sœurs. Certaines jeunes femmes seront plus curieuses, naïves ou crédules que d'autres, plus susceptibles d'écouter les boniments du loup, de croire ses mensonges, de grimper dans le lit avec lui… Elles seront d'autant plus téméraires, "casse-cou", désireuses de se mettre en danger, qu'elles auront voué, enfant, un amour désespéré à un père absent, manquant ou violent.

Le père est le premier homme à nous serrer dans ses bras. *Fort fort !* A nous enchanter, si on a de la chance, en racontant des histoires. A nous embrasser, à nous morigéner de sa grosse voix, à nous fesser, à nous rassurer, à nous exciter et à nous endormir… Le premier homme que nous avons aimé… mais alors, *à quel point* ! Le *daddy* des putes c'est aussi, plus souvent qu'on n'a envie de l'admettre, leur proxénète. L'homme qui "aimera" la femme, la fera travailler et la rassurera, la caressera, la remerciera, lui donnera des ordres, la battra parfois* – incarnera, en un mot, le regard manquant et l'autorité manquante du père sur le corps de la fillette. Elle est *réelle*, et peut être effrayante, la puissance qu'exerce sur les femmes le regard de ce père littéralement divinisé, c'est-à-dire : supposé aimant et tout-puissant.

"Tu m'aimes, *daddy*?" disait Marilyn Monroe à Joe DiMaggio, à Arthur Miller, à tous les hommes qu'elle a aimés au point de les épouser… Etre désirée par beaucoup d'hommes compensait le fait de ne pas avoir été aimée par son papa, petite. La confusion est facile à faire, puisque tout cela s'appelle de "l'amour"…

A défaut d'avoir un père, les fillettes chercheront leur… chemin, et bien des loups seront ravis de le

---

* C'est avec un détachement inquiétant que Grisélidis Réal décrit les violences qu'elle a subies en tant que prostituée, aux mains non seulement de ses clients (tentatives de meurtre, plusieurs par étranglement et une à l'arme blanche) mais aussi de ses "merveilleux" maquereaux noirs (d'innombrables coups et bastonnades).

leur montrer. Elles découvriront ainsi non seulement le désir des hommes, mais aussi leur peur et leur colère. Partant, elles apprendront que se déploie autour de ce désir, de cette peur et de cette colère un *marché* tentaculaire, incroyablement lucratif. Une vaste population d'hommes (de femmes aussi, mais surtout d'hommes) désireux de "profiter" de leurs charmes, non pas directement mais indirectement, en vendant leur image à *d'autres* hommes.

Parler de la prostitution dans un livre sur l'image de la beauté féminine n'est pas tout à fait une évidence, et en même temps si : la pute est cette image faite chair, ou cette chair faite image. C'est pourquoi je ne ferai à peu près aucune distinction, ici, entre prostitution et pornographie visuelle. Si l'on circule à Pigalle, à Shinjuku, dans la 42ᵉ Rue de New York ou dans n'importe quel quartier "chaud" de la planète, surtout si l'on circule sur Internet, on verra de façon prépondérante des femmes dans la vingtaine ou la trentaine, outrancièrement maquillées, aux cheveux longs et aux formes généreuses, affublées de talons hauts, de minijupes, de bas résille, de guêpières et de porte-jarretelles, tout cela dans les couleurs noir et rouge ; voilà l'image de la femelle de base qui déclenche chez le mâle de base de notre espèce le signal de l'érection c'est-à-dire la possibilité de pouvoir répandre son sperme. Il y a certes des variables dans cette équation fondamentale : on peut mettre à la place de la jeune femme un jeune homme, une fillette ou un petit garçon ; le but de l'opération demeure, dans la quasi-totalité des cas, l'éjaculation*.

---

* Une actrice porno interrogée par Jean-François Ferrillon pour son film *Images de femmes* déclare : "En cinq ans de carrière, j'ai eu un orgasme. Je ne sais pas ce qui s'est passé ce jour-là !"

Le faux modèle

Vous avez dix-huit ans, habitez Manhattan et, tout en partageant votre vie avec un homme de dix ans votre aîné, devez constamment chercher des "petits boulots" pour payer vos études. Si votre père ou votre compagnon avaient été plus riches, vous n'auriez peut-être jamais découvert la face sombre du désir. Mais, voilà. Ils n'étaient pas plus riches.

On a prononcé le mot d'"artiste peintre" mais au fond, dès que vous acceptez de suivre ce monsieur rencontré dans l'ascenseur d'un immeuble où vous êtes venue postuler à un emploi temporaire de secrétaire, vous savez bien que vous vous mettez en danger…

Deux hommes, maintenant, vous sourient. Au beau milieu de l'après-midi, dans un appartement tout en haut d'un gratte-ciel à Manhattan, ils partagent avec vous un verre de champagne et un joint de marijuana. Vous savez bien que ce n'est pas ainsi que se crée la peinture. Ici, l'art n'est qu'un prétexte, un voile léger et transparent que l'on a jeté sur la situation pour l'adoucir, mais qui ne parvient pas à en cacher le caractère réel.

"Venez, dit A. d'une voix doucereuse. Venez là vous dévêtir. Il s'agit de vous allonger nue, ici, sur ce canapé, pendant que B. vous dessinera. Voyez ? Il a son chevalet, ses crayons de dessin, tout est à sa place… Détendez-vous… c'est bien, baissez un peu les paupières… regardez B. à travers vos cils, non, non, ne vous levez pas, il ne va pas vous toucher, il ne va rien vous arriver, vous serez payée et vous repartirez comme vous êtes venue…"

Votre cerveau vous transporte ailleurs, comme il sait si bien le faire. A votre surprise, il vous apporte l'image de votre mère. Vous entendez clairement votre voix intérieure lui lancer, sarcastique : "Alors, maman ? Regarde ta pute de fille, tu en es fière ?"

Qui peut dire qu'il comprend ce qui vient de se passer ? La jeune femme, pour diverses raisons, dont l'insécurité financière, mais aussi la curiosité et le goût du risque, a décidé qu'elle était prête à brader… quoi au juste ? son corps ? son âme ? sa dignité ? son honneur ? Pas facile de sortir des clichés pour trouver la réponse juste à ces questions. Et l'homme ? Qu'en est-il de son "vrai moi" à lui ? Que se passe-t-il en lui dans ces moments-là ? A-t-il bradé quelque chose ? Qui gagne et qui perd quoi, comment ? Pourquoi, universellement, face à cette situation : opprobre, mépris, dégoût, pour la seule femme ? Parce qu'elle s'est "fait avoir" ? O, ces symboles, ces scènes, ces positions, ces jugements sempiternels…

Aucun autre primate ne se comporte ainsi, aucun.

Glissements progressifs…

Il existe de nombreux métiers permettant à une jeune et jolie femme de vendre son image. Mannequin, modèle, actrice, *porn star* ou pute : destinées qu'ont toujours redoutées les parents, quand leur fille partait seule chercher sa fortune dans une grande ville. De nos jours encore, ce sont des domaines qui se jouxtent et se chevauchent ; une femme peut glisser insensiblement d'un de ces métiers ou activités à l'autre : soit qu'elle le décide, soit qu'elle s'y trouve plus ou moins acculée. Rêvant d'être actrice, elle se contentera dans un premier temps d'être modèle nu ou mannequin, puis acceptera de faire des photos un peu plus "tangentes", puis…

Au début c'est amusant, c'est titillant, c'est théâtral, ça accélère les battements de votre cœur, ça vous rappelle l'enfance, les déguisements de princesse, les bijoux de maman, sauf que cette fois c'est pour de vrai, c'est "adulte", très "adulte", exclusivement "adulte", ça marche comme sur des roulettes même si vous êtes encore mineure, *surtout* si vous êtes mineure, les hommes vous encouragent, vous rendent hommage, vous honorent, vous fêtent, vous remercient, vous traitent comme une princesse... et vous *paient*! C'est insensé, ce que ça rapporte. Insensé, ce que les hommes sont prêts à débourser pour jouir de votre image*.

Vous les laissez capter vos traits, vos cheveux, vos seins, vos fesses, vos jambes, et rêvez pendant ce temps que vous êtes... star de cinéma ou presque ! Vous posez pour des photos de mode, des calendriers pin-up, des publicités de maquillage, de coiffeur, des revues pornos *soft* ou *hard* ; vous accompagnez dans des soirées chics des hommes d'affaires de passage dans votre ville ; on vous offre du champagne ou de la cocaïne ; à temps plein ou à temps partiel voire très partiel, vous travaillez comme mannequin... modèle nu... serveuse *topless*... danseuse nue... strip-teaseuse... *escort*... De glissement en glissement, vous pouvez vous retrouver prostituée, de base ou de luxe... mais, même quand vous vous prostituez, vous savez avec certitude que ce qui est vendu ce n'est pas vous, pas vous du tout, c'est votre image.

"La révolution tient à quelques accessoires", écrit Virginie Despentes au sujet de ses premières expériences avec la prostitution. "L'effet que ça faisait à beaucoup d'hommes était quasiment hypnotique. Entrer dans les magasins, dans le métro, traverser une rue, s'asseoir dans un bar. Partout, attirer les

---

* Pour sa participation à une seule fête chez Silvio Berlusconi, une jolie fille de seize ans pouvait toucher un montant équivalent à plusieurs mois de salaire d'un ouvrier.

regards d'affamés, être incroyablement présente (...)
Moi qui m'étais toujours contrefoutue des trucs de
filles, je me suis passionnée pour les talons aiguilles,
la lingerie fine et les tailleurs. Ça m'a plu, dans un
premier temps, de devenir cette fille-là" (62-64).

L'image de la prostituée est souvent présente (et
excitante) comme horizon des étreintes érotiques
"normales" : glisser ou ne pas glisser vers *cela* ; se
servir ou ne pas se servir de ces atours-là, de ces
postures-là...

En fait il y a de tout dans la prostitution. Entre
une pute et son client il peut y avoir plaisir, complicité, conversation ; les putes peuvent rassurer,
consoler, materner des hommes malheureux et es-
seulés ; elles peuvent aussi profiter de la vulnérabilité masculine en matière de désir pour les entraîner
et les délester de leur argent, les "plumer", les vider,
les mépriser, les utiliser et les jeter.

Disons deux choses très vite : 1) je pense que la
prostitution existera toujours, parce que l'offre et
la demande existeront toujours ; et 2) je pense qu'elle
est plus dure pour les femmes, qui se trouvent presque exclusivement du côté de l'offre, que pour les
hommes, *que ceux-ci soient du côté de l'offre ou de
la demande.*

C'est compliqué de parler de la prostitution car
la plupart des gens sont violemment ou pour ou
contre ; les émotions étant fortes, le débat a tendance à dégénérer. Les putes ne veulent pas qu'on
se mêle de leurs affaires et on les comprend ; les
clients non plus et on les comprend. La mode ac-
tuelle, tant pour les "travailleurs du sexe" que pour les
intellectuels qui les soutiennent, est de revendiquer
le respect pour cette activité ; il s'agit, nous assène-
t-on, d'un simple "travail", d'une transaction entre

adultes consentants. Que ceux-ci soient acheteur ou vendeur, homme ou femme, hétéro ou homo, travesti ou perverti, leur échange est contractuel et personne n'a à venir y mettre son nez, surtout pas les féministes ou les flics.

J'ai deux ou trois réserves à apporter à ce joli refrain de *Tout-va-bien-madame-la-marquise*.

Quelle liberté ?

Ma première réserve, c'est que cette analyse ne vaut que pour une petite minorité de personnes prostituées : celles qui peuvent décider librement de commencer (et surtout de *cesser*) d'exercer ce métier. Pour se convaincre que c'est là chose rare, il suffit de regarder quelques films (*Sex Traffic* par exemple, docufiction de David Yates dans laquelle on voit de la chair fraîche féminine livrée aux mercenaires de Blackwater en Irak, ou *Terre promise*, le long métrage d'Amos Gitaï, où Arabes et Israéliens coopèrent à merveille pour acheminer de jolies filles depuis leur village moldave jusqu'aux boîtes de nuit les plus "dures" de Haïfa) ou de lire quelques livres (les Mémoires de Somaly Mam, *Le Silence de l'innocence*, où l'on apprend que des Cambodgiennes âgées de six ans se font déchiqueter nuit et jour par de gros hommes d'affaires chinois, leur hymen étant recousu après chaque viol, ou le roman *Purge* de Sofi Oksanen, où une jeune Estonienne est réduite en esclavage sexuel à Berlin). Si l'on reste sceptique, on peut utilement faire un saut en Italie du Sud pour regarder les jeunes Nigérianes qui "travaillent" par dizaines, dehors, près des autoroutes aux abords de Naples, et mettent deux ans à simplement rembourser les frais de leur transfert vers l'Europe… et voir, ensuite, si l'on peut encore blablater tranquillement au sujet de la "liberté" des prostituées.

Certes, ces situations de contrainte absolue, dans lesquelles salopards et salopardes esclavagistes profitent de la misère et de la crédulité de très jeunes filles pour les violer, les vendre, les exporter et les enfermer, les contrôler et les massacrer corps et âme, sont en principe illégales. Les esclavagistes sont en principe poursuivis, voire punis par la loi. Si dans les faits la loi les poursuit mollement et les punit rarement, c'est que des hommes haut placés dans le gouvernement, l'armée, la police et la magistrature sont souvent impliqués dans les sévices, pardon les services, en question.

Mais, même dans les situations moins extrêmes que celles-là, une femme prostituée n'est jamais une femme libre. Je pense qu'on pourrait le constater en assistant, même deux ou trois jours, dans les chambres, camions, bois ou ruelles de sa propre ville, au quotidien des femmes exerçant ce métier : la prostituée est, comme l'écrit Nelly Arcan, "un déshabillé et rien d'autre. Une tenue de nudité excommuniée de tout ce qui n'est pas son corps : amour, amitié, mariage, enfantement. C'est le contraire de la compagne, même si on prétend le contraire dans le mot *escort*. Rien n'est jamais escorté dans ce monde, tout est distance et froideur. Un corps dans le déshabillé de la désincarnation. Dans les froufrous de la désintégration" (*Burqa de chair*, 55).

Quelle symétrie ?

Ma deuxième réserve, plus grave et à mon avis rédhibitoire, concerne la prétendue symétrie entre les sexes. "Mais enfin, dit-on, il existe aussi des hommes prostitués, et des femmes qui achètent les services sexuels des hommes ! Qu'en faites-vous ?"

Je persiste et signe : cela n'a *rien à voir*, pour cette raison très simple que la scène prostitution-nelle est moins en contradiction avec la sexualité des hommes qu'avec celle des femmes. Oui je vais redire cette chose perturbante : dans notre espèce comme dans de nombreuses autres, les mâles n'ont pas les mêmes envies et comportements sexuels que les femelles. La plupart des mâles ont un goût prononcé pour les "premières fois". ("En même temps que l'accès de désir violent pour une femme, m'écrit le peintre F., affleure l'aventure de la décou-verte, le besoin de savoir comment elle est, *qui* elle est, au pieu.") Or, logiquement, lorsqu'un homme fait l'amour à une femme pour la première fois, c'est aussi la première fois pour la femme en question. Etant donné que les femmes sont moins enclines que les hommes à avoir de nombreux partenaires, cela implique que *certaines* femmes en auront énor-mément. Voilà, de fait, les deux principaux vec-teurs de la sexualité humaine depuis le Néolithique : *mariage* (pour que les hommes puissent être sûrs de leur paternité) et *prostitution* (pour qu'ils puissent satisfaire leur besoin de variété).

Françoise Héritier relève l'asymétrie frappante entre hommes et femmes dans ce domaine : "Un point n'est jamais mis en discussion : c'est la licéité de la pulsion masculine exclusivement, sa néces-sité à être comme composante légitime de la nature de l'homme, son droit à s'exprimer, tous éléments refusés à la pulsion sexuelle féminine, jusqu'à son existence même. C'est l'élément le plus fort et ab-solument invariable de la valence différentielle des sexes : la pulsion sexuelle masculine n'a pas à être entravée ni contrecarrée ; il est légitime qu'elle s'exerce sauf si elle le fait de manière violente et brutale à l'encontre du droit officiel d'autres hommes. Elle est" (II, 293).

Elle est, c'est le moins qu'on puisse dire.

En effet, sans même insister sur le fait qu'il y a moins d'hommes que de femmes parmi les "travailleurs sexuels" (environ 10 %), la majorité écrasante des clients sont des hommes (là, ça doit aller chercher dans les 99,99 %). Il n'existe pas d'industrie internationale multimilliardaire gérée par les femmes pour vendre à d'autres femmes le corps des hommes, ou l'image de ce corps… même pas une *toute petite* industrie de ce genre ! Aux Etats-Unis, lancés dans les années 1980 comme équivalent de *Playboy* pour les femmes, les magazines du type *Playgirl* ont rapidement fait faillite ; d'ailleurs ils avaient été achetés essentiellement par des gays. De nos jours les "féminins" expérimentent, avec plus ou moins de bonheur, toutes sortes d'approches visuelles du corps masculin*, mais une chose est certaine : les lectrices de ces magazines ne réclament pas de voir davantage de messieurs à poil.

Pourquoi les hommes consomment-ils de façon massive et anonyme le corps des femmes et non l'inverse ? Parfois on se sent bête. C'est comme si on se demandait, en fronçant les sourcils et en se grattant la tête : *Pourquoi* les hommes violent-ils les

---

* Voici un exemple tiré d'un numéro récent de *Cosmo* (décembre 2009) : sur la page de gauche, on voit, de dos, un homme torse nu, enlacé par une femme qui plaque fermement sa main droite, aux ongles soigneusement peints, sur son slip bleu à l'endroit de la fesse gauche, en glissant vaguement un pouce derrière la bande élastique. L'article est intitulé : "Réalisez son rêve sexuel n° 1" ; son contenu est résumé par l'encart sur la page d'en face : "Les mecs sont visuels, alors ne perdez pas votre temps avec des textos *hot* ; mailez-lui plutôt des photos de trucs sexy que vous avez envie de faire avec lui." Plus ça change…

femmes et non l'inverse ? "Si le recours à des partenaires multiples relève du dévergondage ou du
trouble mental quand il s'agit des femmes, s'indigne
Héritier, le recours des hommes à la prostitution
(pour ne pas parler des rapports sous contrainte)
relève simplement, quant à lui, de l'hygiène nécessaire" (II, 311). Eh ! oui. Le sperme s'accumule dans
les testicules des hommes jeunes et, tôt ou tard,
ils éprouvent le besoin de l'évacuer. Le mâle humain est ainsi fait – tout comme les mâles équin,
porcin et simiesque. Les ovaires des femelles de
ces espèces ne les tourmentent pas de la même
manière.

A force de vouloir imposer à tout prix l'idée de
l'identité des sexes, on en arrive à imaginer des paradis vraiment bizarres. "Pour que la symétrie soit
totale, écrit Héritier, encore faudrait-il que l'usage
de prostitués soit également offert aux femmes
jeunes engagées dans des liens de type conjugal,
comme c'est le cas pour les hommes" (II, 300). On
dirait que l'anthropologue a tout oublié de la condition des femmes à travers les âges. Jusqu'à la géné-
ralisation de la contraception et de l'avortement (il
y a cinquante ans, soit 0,00125 % de l'histoire humaine), une femme à partenaires sexuels multiples
était dans une situation incomparablement plus
dangereuse qu'un homme à partenaires multiples.
Il était non seulement normal mais *indispensable*
que la société la protège !

Même *avec* la pilule et l'IVG, après quelques petites escapades du côté de l'"amour libre" qui leur
ont fait plus de mal que de bien (voir ci-dessus,
"Unisexe, version baba cool"), les femmes n'ont
clairement pas tendance à multiplier indéfiniment
le nombre de leurs partenaires sexuels.

Anaïs Nin décrit bien cette disparité : "Une femme ne
peut sortir et s'arroger son plaisir ; elle doit l'attendre…

On ne peut agir que de manière indirecte ; on peut tenter d'éveiller le désir de l'homme, c'est tout. Certaines d'entre nous n'en ont pas les moyens. Mais un homme sans moyens peut toujours trouver un objet" (23 septembre 1931).

Et Doris Lessing, dans *Le Carnet d'or*, d'abonder dans le même sens : "Libres, disons-nous. Mais la vérité c'est qu'ils ont une érection quand ils se trouvent avec une femme qui leur est indifférente, alors que nous n'avons d'orgasme que si nous sommes amoureuses. Où est la liberté là-dedans ?"

Quelle indifférence ?

Même l'indifférence qu'affichent les soi-disant "travailleurs du sexe" à l'égard de leur activité professionnelle n'est pas la *même* indifférence. Chez les femmes c'est une indifférence lourde, souvent liée à la dépression et à la haine de soi ; chez les hommes c'est une indifférence légère ("Je vends mon cul et alors ?")…

En effet, que ce soit dans la prostitution ou la pornographie, les hommes qui acceptent d'être payés pour une prestation sexuelle en sont moins atteints que les femmes, pour la bonne raison que *cet acte est plus en conformité avec leur sexualité habituelle* qu'avec celle des femmes. Comme on l'a vu, la plupart des hommes, qu'ils soient hétéros ou gays, apprécient (aussi) des contacts sexuels impersonnels, le plaisir pour le plaisir, la variété pour la variété ; ils ne s'y sentent pas plus impliqués que cela et n'en sont pas plus émus que cela, pour une raison toute simple mais qu'on n'évoque jamais, à savoir que *leur corps ne peut pas porter un enfant*. Sans doute sont-ils profondément impliqués dans la paternité sur le plan psychologique, social, financier et légal, mais ils ne le sont pas sur le plan sexuel, où, pour être père, il leur suffit d'éjaculer.

Les femmes ont à l'égard de la copulation une attitude moins légère parce que pendant des millions d'années leur corps a évolué pour être fécondé par cet acte, entraînant pour elles des conséquences incommensurablement plus lourdes que pour les hommes. Elles se sentent *concernées* par le sperme, même si elles le reçoivent dans la figure, sur les seins ou dans l'anus, et même si elles utilisent un contraceptif. Avant d'accepter un coït, elles ont une prédisposition innée à bien regarder avec qui ça se passe, à peser le pour et le contre, à espérer du sentiment, à vouloir éprouver de l'amour et se sentir un peu en sécurité, un peu en continuité.

Pour accepter d'exclure de la relation sexuelle tout imaginaire lié à l'amour et à la fécondité, encore et encore, jour après jour, année après année, les femmes qui se prostituent ont tendance à abuser de substances qui diminuent leur sensibilité, atténuent leur sensualité, floutent leur présence, altèrent leur concentration, portent atteinte à leur santé et raccourcissent leur vie : alcool et drogues, pour aller vite.

Tout comme la violence, la prostitution est un bel exemple d'une *interface entre la psychologie de l'espèce et celle de l'individu*. C'est un théâtre où, sur le plan de l'espèce, se mettent en scène des pulsions archaïques et s'explore notre peur de la mort… et où, sur le plan individuel, hommes et femmes cherchent à répéter, à rattraper ou à récupérer quelque chose qui s'est mal passé dans leur enfance.

Dans leurs discours sur la prostitution, intellectuels et militantes féministes ont trop souvent tendance à simplifier cet écheveau complexe ; les clients, n'en parlons pas ; ce sont les prostituées elles-mêmes qui le décrivent avec le plus de subtilité et de sagesse.

XI

ENSEIGNEMENT DES PUTES

> *On ne peut pas penser à l'argent dans ces moments-là, on ne peut que penser que jamais plus on ne pourra oublier ça, la misère des hommes à aimer les femmes et le rôle qu'on joue dans cette misère, la caresse du désespoir qu'on nous adresse et la chambre qui se referme sur nous. Rien ne nous fera oublier la dévastation de ce qui a uni la putain à son client, rien ne fera oublier cette folie vue de si près qu'on ne l'a pas reconnue.*

> NELLY ARCAN

"O" a été bébé

Dans *Histoire d'O*, roman écrit au début des années 1950 par Dominique Aury, avec l'approbation enthousiaste (et peut-être l'aide) de son amant Jean Paulhan, l'héroïne accepte les pires sévices sexuels parce qu'ils se déroulent sous l'autorité, les ordres, l'intelligence et le regard, réel ou imaginaire, de son amant René. Comme "Lulu", "Marilyn", "Nelly" et la plupart des femmes dont le corps est devenu objet entre les mains des hommes, l'héroïne nous apparaît sous un faux nom, réduit à sa lettre initiale : O.

O n'a pas eu d'enfance, bien entendu. Pas plus que les autres héroïnes de romans érotiques et/ou pornographiques, pas plus que les prostituées et les nihilistes dans l'imaginaire des intellectuels, elle n'a ni ascendance ni descendance.

A la suite de la lecture d'un de mes romans, une jeune femme m'a écrit une lettre étonnante. Elle aussi avait eu un nom de guerre, "Lucie", mais je préfère la désigner ici par son initiale véritable, qui se trouve être O. Voici quelques extraits de la lettre d'O.

"J'ai aujourd'hui trente-cinq ans. A vingt-neuf ans – j'étais déjà mère d'un enfant de trois ans – j'ai vécu une grande passion amoureuse, brutale, dévorante, qui s'est violemment terminée, par une tentative de suicide pour moi. C'est à ce moment que X m'a ramassée, en miettes, et a proposé de me reconstruire, à sa manière. Et j'ai vu en lui le salut, un père délivré de tout tabou, un père à qui je pourrais obéir aveuglément, à condition qu'il m'aime, me chérisse, et me protège. J'ai été séparée de mon propre père très jeune (je ne le voyais que peu). X a lancé la ligne et l'a laissée filer doucement, s'infiltrant dans mon quotidien, alimentant mes fantasmes. Des mots sont apparus : *secret. Versant sombre. Inavouable. Monde souterrain. Etre fort. Se frotter au pire pour en tirer le meilleur.* Lucie a donc plongé, nue et entièrement épilée, dans les bras de cet homme de trente ans son aîné, qui lui-même l'a jetée dans des caves appelées «sauna», «club». (...)

Lucie s'est laissé toucher, palper, lécher, Lucie a sucé des queues, a fait jaillir du sperme sur ses mains, ses jambes, son dos (jamais son visage, trop dangereux). Lucie est allée se faire attacher dans des appartements près de l'Opéra de Paris. (...) Un jour je tombe sur cette phrase incroyable de Bataille dans *Ma mère* : «Je ferais le pire devant toi et je serais pure à tes yeux.» Ce conditionnel qui change tout. Ce conditionnel du fantasme, que demande le fantasme. *Moi, je le fais.* Tout ce que tu me demandes, mon maître, amant, papa. Je signe des contrats de soumission. D'innombrables photos sont prises. Je les regarde, le soir, quand mon fils est au lit. Encore, encore, *c'est moi, cette femme ligotée, fouettée, cravachée, enduite de sperme.* (…)

Et toujours, toujours, sans cela rien n'aurait eu de sens, le regard de X sur moi. Et mon regard sur lui qui dit : «Vois ! Vois ce que je suis capable de faire et d'endurer pour la seule raison que tu me le demandes. Vois comme je t'ai légué mon corps, et tu le jettes à un troupeau de chiens, queue dressée, qui attendent leur tour, mais – le sais-tu seulement, X ? – mon corps n'existe plus. Mon corps appartenait à mon amour sublime. Et mon amour n'en a plus voulu. Alors ce corps est à qui en veut. Malléable. Résilient."

On voit à quel point "le regard de X" est décisif dans cette histoire. O. sait bien que sa soumission à ce "père" de substitution est liée à l'absence de son père dans l'enfance. Elle réifie le dédoublement en parlant d'elle-même à la troisième personne. Tous les récits de prostituées et de stars du porno font état de la même scission. *Je laisse mon corps à l'autre, pas de problème ; moi, je suis ailleurs.* ("Ma tête, écrit Arcan à propos de ses ébats avec un client, se tient aussi loin que possible de cette rencontre qui ne la concerne pas" [*Putain*, 45].)

Je suis allée rencontrer O. En l'écoutant, j'ai cherché à comprendre de quelle façon et pour quelle raison cette jeune femme belle et intelligente avait accepté, comme tant d'autres, de transformer sa chair en image. Il m'a semblé qu'elle analysait son histoire avec une lucidité exceptionnelle.

*

O. : J'avais lu le manifeste de Grisélidis Réal, pour dire qu'elle faisait un métier utile et qu'il fallait la respecter parce qu'elle canalisait les peurs des hommes, qu'elle les transformait en jouissance, qu'elle apportait l'amour maternel dont ils avaient manqué, qu'elle apportait tellement et tellement… Je me suis dit : *C'est pas possible !* Je n'ai jamais eu l'impression d'alléger les souffrances d'un homme. (…) Plutôt des gens riches qui s'ennuient et veulent justement voir abîmer la beauté d'un corps. Des marques, et cetera. C'est très *Histoire d'O.*

N. : Tu n'as jamais prononcé le mot "Stop" ?

O. : Je ne l'ai jamais prononcé parce que je n'ai jamais pu me résoudre à me dire que c'était un jeu. J'éprouvais une culpabilité par rapport aux femmes qui n'ont pas le droit de dire "Stop"… et c'est à cause de cette culpabilité que je n'ai jamais prononcé le mot. Il fallait chaque fois aller jusqu'au bout, parce que ç'aurait été "dégueulasse" de ma part de mettre un pied là-dedans et de ne pas subir jusqu'au bout. On est vraiment dans le côté "martyre" : la première fois où j'étais attachée, comme sur une croix, et où je pleurais, je pensais à ces femmes qui étaient frappées et violées, et je pleurais pour elles. X m'encourageait à dire "Stop", il voyait que j'avais mal et que c'était dur ; et je le regardais avec colère, je secouais la tête pour dire : "Non ! c'est moi qui décide…" Il était terrifié ! Il s'est dit : "Jusqu'où va-t-elle aller ?"

*

Quelques mois plus tard, O. m'a écrit pour me dire qu'elle avait fait une nouvelle tentative de suicide et se trouvait en clinique psychiatrique. Je suis allée la voir à nouveau et, cette fois, elle m'a parlé de son enfance. A peu près tous les facteurs dont je me disais qu'ils favorisaient une scission grave entre "moi" et "mon image" s'y trouvaient réunis : déménagements fréquents ; sensation de sables mouvants ; disparition d'un parent, dont on se sent coupable, responsable. On se dit que si l'on bouge, proteste, respire, on provoquera la disparition de l'autre parent. On devient donc une petite fille "facile", coopérative, arrangeante, toujours prête à voir les choses du point de vue de l'autre. "Si vous voulez… !" Sans pouvoir se demander ce que l'on veut, *soi* ; sans même qu'il y ait vraiment, quelque part, un *soi* pour vouloir.

*

O. : Maintenant que j'y pense, ça inquiétait mon père, il me l'a dit il y a quelques années. Il se disait : C'est bizarre, elle ne proteste pas, elle ne dit jamais non. Est-ce que c'est cette histoire d'avoir été déplacée, d'avoir voyagé très tôt… Je pense à ma petite sœur, la fille de mon père, qui vit depuis vingt et un ans dans la même maison, avec des parents qui n'ont pas divorcé… Forcément, elle n'est pas "que souplesse", comme moi ! Elle, quand c'est non c'est non.

N. : *Pour vous il n'y avait ni école, ni ville, ni amis… La seule chose qui ne changeait pas, c'était un ou deux individus, et vous ne pouviez vous permettre de vous aliéner ces êtres-là, qui étaient le sol sous vos pieds.*

O. : Je n'avais jamais mis ça en rapport avec ma passivité face aux exigences des hommes… C'est comme s'il y avait en vous deux personnes : un tueur et une tuable. La tuable, c'est la femme belle, c'est l'image, c'est la pute, c'est celle qui dit oui à tout. Elle est "pourrie à la racine", elle ne mérite pas de vivre, mais elle pointe toujours le bout pourri de son nez pourri… Pourquoi cette division est-elle devenue chez moi si radicale ? C'est vraiment une forme de folie.

N. : Toutes ces années après, vous faites encore des tentatives de suicide. Maintenant que votre bourreau est absent, vous allez être votre propre bourreau ?

O. : C'est comme si on s'était identifié au pire désir de cruauté contre nous. Comme si c'était ça le bien : ceux qui ont le droit de vivre, et qui décident qu'on ne mérite rien, qu'on est de la merde, qu'on mérite d'être écrabouillé, ça c'est "la justice" ! Derrière tout ça, il y a toujours : "C'est ma faute." (…) Lui y voyait : mon esclavage à moi, sexuel, qui allait m'épanouir. Mais moi je me demandais : "Qu'est-ce qui va se passer, après ? Je ne vais jamais pouvoir avoir une vie normale, une sexualité normale, vivre avec quelqu'un. Tout ça, c'est fini !"

N. : La plupart des prostituées disent la même chose : impossible de revenir en arrière. On a vu trop de choses, reçu trop de sperme dans la figure. Ça fait mal, c'est trop moche, ça gâche vraiment le plaisir de la vie.

O. : Quand j'ai rencontré Y [son mari actuel, père de son deuxième enfant], je me suis dit : Il faut absolument que je retrouve cette voie-là. Le plaisir de la vie.

*

Cette autre histoire d'O me semble jeter une lumière nouvelle sur le "masochisme" féminin. Car aimer souffrir est une impossibilité logique. Personne n'aime souffrir, personne ne recherche la douleur pour la douleur ni l'humiliation pour l'humiliation. En revanche, si ça peut faire plaisir à l'autre, à celui qui vous "aime", la douleur s'efface au profit du plaisir : le plaisir de faire plaisir, et de se sentir "aimée". Après, ayant pris le parti du bourreau, s'étant scindée intimement en bourreau et victime, la femme sera toujours prête à s'acharner sur la partie faible et veule d'elle-même, qui ne mérite que d'être écrabouillée, piétinée, tuée.

Quand la structure du "OK !" est mise en place très tôt, elle fait des fillettes de futures victimes sexuelles idéales. Jusqu'au jour où elles disent "OK !" à leur propre immolation… D'où la fréquence disproportionnée, chez les femmes prostituées, des velléités de suicide. Malgré sa nouvelle tentative, je pense qu'O. réussira, grâce à sa force personnelle, son intelligence, la présence de ses enfants et de son mari, le soutien de ses amis, à ne pas se tuer.

Nelly Arcan, elle, n'a pas réussi.

Mort et vie de Nelly Arcan

Après de nombreuses tentatives et d'encore plus nombreuses annonces de son intention de le faire, Nelly Arcan s'est enlevé la vie en septembre 2009, à l'âge de trente-quatre ans.

On peut le dire autrement (car elle avait modifié non seulement son nom mais sa date de naissance) : Isabelle Fortier a choisi de mourir en septembre 2009, à l'âge de trente-six ans.

Quelques heures avant de se pendre, elle avait posté une photo sur son site Internet : vue en plongée d'une poupée Barbie grandeur nature, étalée sur le dos, apparemment à la suite d'une chute, cheveux blonds éparpillés sur le sol autour de la tête, tutu blanc révélant les cuisses nues, un escarpin rose encore accroché au pied gauche, l'autre tombé à côté du pied droit. Disposés en spirale autour de ce joli cadavre : des téléphones rouges, noirs, gris, beiges, la plupart au combiné décroché. Plusieurs ordinateurs. Une marionnette, également aux cheveux blonds. Pas de sang.

Titre de cette photo, pour moi : *Mort d'une philosophe*.

Née en 1973, Isabelle Fortier est de la première génération des femmes à grandir *dans* l'univers de la télévision, c'est-à-dire dans l'omniprésence des images de belles femmes. Elle est obsédée dès l'enfance par la peur de vieillir. Ne pas changer, se dit-elle. Rester à jamais une petite fille. Celle que papa aimait. Ne surtout pas devenir comme ma mère, qui s'est laissée aller physiquement et a sombré dans l'inertie.

Les deux espèces de femme, Arcan les appellera plus tard non la maman et la putain mais la larve et la schtroumpfette. Ayant rejeté avec horreur la destinée des larves, la jeune femme décide de se faire schtroumpfette. Redisons-le, soulignons-le car c'est un phénomène répandu : façon certaine de se faire "aimer" (désirer) : *choisir, contre sa mère, le camp des vamps*. Mais, dès qu'une femme fait ce choix, elle se trouve prise dans un piège... car rien n'est plus angoissant que de sentir qu'on ne vous aime que pour votre surface belle, jeune et lisse.

Isabelle quitte sa province et arrive à Montréal, s'inscrit à l'université, et, tout en poursuivant des études universitaires en psychologie et en littérature, devient *escort* en appartement. Elle le fait, dit-elle, parce que ça existe, parce qu'elle trouve ça incroyable et veut le comprendre. Elle y va sans fermer les yeux – gardant en éveil, dans la chambre où elle reçoit ses clients, la même intelligence que celle avec laquelle elle rédige sa thèse (consacrée au célèbre cas de Freud, "Le Président Schreber" !).

La voilà donc, jour après jour, dans les bras d'hommes inconnus, pour la plupart des hommes d'affaires anglophones. Elle comprend tout de suite que cela implique d'abandonner son histoire particulière pour devenir une femme générique. "On me voit sans doute comme on voit une femme, au sens fort, avec des seins présents, des courbes et un talent pour baisser les yeux, mais une femme n'est jamais une femme que comparée à une autre, une femme parmi d'autres, c'est donc toute une armée de femmes qu'ils baisent lorsqu'ils me baisent, c'est dans cet étalage de femmes que je me perds, que je trouve ma place de femme perdue" (21). ("Finalement, confirme Virginie Despentes, aucun besoin d'être une mégabombasse, ni de connaître des secrets techniques insensés pour devenir une femme fatale… il suffisait de jouer le jeu. De la féminité. Et personne ne pouvait débarquer «attention c'est une imposture», puisque je n'en étais pas une, pas plus qu'une autre" [64].)

L'horreur du vieillissement s'intensifie, devient acharnement chirurgical contre les rides, les bourrelets, tous ces *en-trop* liés, chez la femme, à l'âge post-adolescent. Etant donné que dans nos sociétés la longévité des femmes ne cesse de croître, nous aurions besoin de nous cacher pendant les trois quarts de notre vie ! Même la plus mignonne des schtroumpfettes finit par haïr les plus jeunes qu'elle, qui lui lancent des œillades depuis les pages des magazines féminins : "Il faudrait les émietter, une par une, écrit Nelly Arcan, les balayer sous le lit avec les enveloppes de préservatifs (…), mais ça ne sert à rien car elles sont trop nombreuses, d'autres magazines seront empilés au même endroit la semaine prochaine, d'autres schtroumpfettes me défieront de les émietter (…), il me faut donc les laisser à leurs quinze ans et leur perfection de bouche entrouverte, à leur royaume de postures affolantes" (29).

Presque tous les clients d'Isabelle Fortier sont mariés et pères de famille ; beaucoup ont une fille du même âge qu'elle. La jeune philosophe les interroge à ce sujet et leur réponse la met en colère. "Lorsqu'ils me confient d'un air triste qu'ils ne voudraient pas que leur fille fasse un tel métier, qu'au grand jamais ils ne voudraient qu'elle soit putain, parce qu'il n'y a pas de quoi être fier pourraient-ils dire s'ils ne se taisaient pas toujours à ce moment, il faudrait leur arracher les yeux, leur briser les os comme on pourrait briser les miens d'un moment à l'autre, mais qui croyez-vous que je sois, je suis la fille d'un père comme n'importe quel père, et que faites-vous ici dans cette chambre à me jeter du sperme au visage alors que vous ne voudriez pas que votre fille en reçoive à son tour, alors que devant elle vous parlez votre sale discours d'homme d'affaires" (108).

Les mêmes hommes, académiciens ou députés, qui trouveraient anormal qu'en les rencontrant pour la première fois on leur fasse la bise plutôt que de leur serrer la main trouvent normal, sous prétexte qu'ils l'ont payée, de sodomiser une femme dont ils viennent de faire la connaissance, ou d'éjaculer sur son visage, ou de lui demander de les fouetter. Nelly Arcan, elle, persiste à ne pas trouver cela normal. Elle le trouve aussi choquant et déprimant la millième fois que la première. "Il suffit de quelques

jours, écrit-elle, de deux ou trois clients pour comprendre que voilà, c'est fini, que la vie ne sera plus
jamais ce qu'elle était" (22).

Puisqu'elles sont appelées à incarner une image
figée de la femme jeune et belle, les putes ont du
mal à s'inscrire dans le temps, à vieillir, à imaginer
une existence après le tapin. Alors que "la passe",
pour les clients, est un geste rapide et essentiellement anxiolytique, qui se glisse dans les interstices
de leur vraie vie, pour les putes, c'est leur vraie vie,
la seule qu'elles ont. C'est pourquoi, dans ce métier
prétendument "comme les autres", différentes formes
d'auto-agression sont la règle et non l'exception.

Nelly nihiliste

Le théâtre de la prostitution, comme la quasi-totalité des analyses le concernant, est figé dans le présent, pris dans l'immobilité du tableau, de la scène,
de la pose, de la position ou de la "figure rhéto-
rique". En transformant la personne en image, il
arrête le temps. Pendant leurs heures de travail, les
prostituées sont tenues d'éradiquer de leur esprit
toute velléité de récit.

Or le récit – le fait de lier les événements et les
êtres les uns aux autres en une histoire – est justement ce qui confère un sens à l'existence humaine.
Les récits créent et renforcent les liens, non seulement en amont à nos parents et en aval à nos enfants, mais aussi à nos compatriotes, à nos amis, à
nos coreligionnaires... Quand ces liens sont coupés, interdits ou rendus impossibles, quand on est
forcé de vivre dans le présent, on a tendance à devenir soit mystique (pour se confondre avec le
grand Tout), soit nihiliste (pour se confondre avec
le grand Rien), soit les deux à la fois.

Souvent, les femmes qui offrent leur corps au tout-venant versent un temps dans le mysticisme et se perçoivent comme des saintes : Catherine Millet raconte dans *La Vie sexuelle de Catherine M.* son fantasme de petite fille de donner à manger à tous les affamés du monde ; Virginie Despentes écrit dans *King-Kong Théorie* que "les saintes, attachées, brûlées vives, les martyres ont été les premières images à provoquer chez moi des émotions érotiques" (51) ; l'actrice porno Judy Minx dit avoir été obsédée dans son enfance par les représentations de sainte Agathe et de sainte Marguerite* ; Nelly Arcan dit que devenir *escort* était pour elle une manière de "se sacrifier comme l'ont si bien fait les sœurs de mon école primaire pour servir leur congrégation" (*Putain*, 7)… mais elles en viennent presque toujours au nihilisme.

Le nihilisme est un hymne romantique à la solitude et à l'immobilité, formulé dans l'abstrait, de loin, de haut, de très au-dessus des petites affaires humaines. C'est un discours hors temps et hors récit. Les écrits d'Arcan contiennent de nombreuses envolées dignes d'Arthur Schopenhauer, même si, pour dire les mêmes choses, la philosophe québécoise emploie un style plus haut en couleur que le philosophe allemand. "Ce n'est pas facile d'admettre que si la vie continue, ce n'est pas par choix mais parce qu'on ne peut rien contre sa force organique qui se fraie un chemin en dehors de la volonté humaine, en dehors des injustices commises sur les plus petits comme les enfants pauvres dressés en soldats pour remplacer d'autres soldats dans des pays où tous les hommes sont déjà morts. (…) De cette vie qui se perd dans la nuit des temps et qui aura raison de tout, qui rejaillira du pire pour s'imposer à

* Portrait dans *Libération* du 9-10 juillet 2011.

nouveau et reprendre du début toutes les erreurs du passé, je n'en veux plus" (*Folle*, 111).

Les nihilistes ont horreur d'avoir un corps, d'être dans le temps, forcés de vivre, de respirer, de vieillir et de mourir. Etant donné que la femme a été de tout temps assimilée au corps et tenue pour responsable de l'incarnation, les nihilistes de sexe féminin ont tendance à s'en prendre à leur propre chair. Les héroïnes d'Arcan ne font pas exception à cette règle : traduisent leur "masochisme" non seulement le recours répété à la chirurgie esthétique, mais une tendance à l'automutilation : "Comme tu n'étais pas là pour me voir faible, je devais ces jours-là me frapper moi-même, c'est le refus de sa propre pitié qui veut ça, c'est aussi l'urgence de donner une couleur à la souffrance : sur la tempe le bleu de ton mépris, sur l'épaule le jaune de ma chute libre. Souvent j'utilisais des bouteilles de vin ou des poignées de porte, aussi sur mes bras et mes cuisses je faisais des croix avec des lames de rasoir, je me faisais pleurer de partout ; comme les prisonniers, je marquais les heures" (155).

Là, on n'est plus dans Schopenhauer.

Quelques idées reçues mordent la poussière

Pour l'essentiel, les théoriciens contemporains de la prostitution abordent la question sous deux angles, contrastés pour ne pas dire antagonistes : celui de la libération des mœurs et celui de l'oppression des femmes. La première tendance est représentée en France notamment par Elisabeth Badinter qui, dans *Fausse route*, parle de cette "liberté sexuelle, en dehors de tout sentiment" et de ce "plaisir pour le plaisir" (125) qu'autorise à son avis la scène prostitutionnelle, et estime que les femmes devraient admettre qu'elles ont autant de désirs violents et asociaux que les hommes. La deuxième tendance est exemplifiée par Françoise Héritier qui, dans *Masculin/Féminin*, décrit la prostitution comme une preuve supplémentaire de la mainmise des hommes sur le corps des femmes, mainmise qui caractérise notre espèce depuis la nuit des temps. Ces théoriciennes (et les autres) devraient lire Nelly Arcan qui, à force d'avoir un cerveau de philosophe dans un corps de pute, a compris deux ou trois choses assez nouvelles.

Filles de joie ? Certainement pas… Ce que côtoient au jour le jour les femmes qui exercent ce métier, même quand leur survie physique n'est pas menacée, ce n'est pas la joie mais, dit Arcan, la mort. "Pour moi, les putes comme les filles du Net étaient condamnées à se tuer de leurs propres mains en vertu d'une dépense trop rapide de leur énergie vitale dans les années de jeunesse" (*Folle*, 93). Pour sa part, elle a pris très tôt la décision de se supprimer à l'âge de trente ans. Elle parle presque à chaque page, souvent avec humour noir, de son désir, intention, projet de mourir. "Je pourrais vous décrire la beauté du monde si je savais la voir, raconter comment la foi et le courage peuvent venir à bout des plus grands malheurs, mais je suis trop occupée à mourir, il faut aller droit à l'essentiel, à ce qui me tue" (*Putain*, 79). "Ce n'est pas que l'argent ne fasse pas le bonheur, plutôt qu'il existe une limite au confort et à l'aisance matérielle qu'on peut s'offrir dans la mort" (48).

Contrat entre adultes consentants ? Oui… mais client et pute ne sont pas concernés par les mêmes clauses du contrat. L'acte est sans conséquence pour le client, sorte de geste d'hygiène, hebdomadaire peut-être, à la suite duquel il retourne ragaillardi à sa réunion de travail. La narratrice de *Putain* vit huit fois par jour une petite mort – et pas au sens où l'entend Georges Bataille. "Huit clients différents, après huit c'est entendu, je peux m'en aller, et m'en aller où pensez-vous, chez moi, eh bien non car je ne veux pas rentrer chez moi, je veux seulement mourir au plus vite" (27). Les femmes qui travaillaient naguère dans les hôtels dits "d'abattage", ou les bordels militaires de campagne, recevaient chaque jour le sperme de plusieurs *dizaines* de pénis différents.

Métier comme les autres ? Foutaises… Arcan, qui a exercé ce métier pendant plus de deux ans, sait que ce n'est pas anodin pour une femme de vendre son corps. "Tu n'avais pas, dit la narratrice de *Folle* à son amant qui raffole de cyberporno, ma manie de penser au quotidien des filles qu'on voyait, pour toi les images n'existaient pas vraiment, elles n'avaient pas l'épaisseur de la vie" (99).

En effet, chaque prostituée, chaque *porn star*, chacune des filles et femmes qui circulent à poil et se font enfiler, punir, tringler, violer, titiller, etc., sur le Net, a eu une enfance, et espère avoir un avenir. Elle se lève le matin, se regarde dans la glace, choisit ses habits, se fait un café… Elle a des parents et des amis ; souvent elle a aussi des enfants, ou voudrait en avoir un jour. Et, que ce soit devant un appareil photo, une caméra ou un client, elle se déshabille jour après jour et, pour de l'argent, offre sa poitrine, son vagin, son anus, son visage, à l'éjaculation anonyme. Que seront vraiment prêts à entendre, de ce "métier comme les autres", maintenant ou plus tard, son amoureux, son mari, ses enfants ?

Les ouvriers aussi "vendent leur corps" ? Certes… sauf que vendre ses bras et vendre son cul ce n'est pas pareil. On montre ses bras dans la rue, pas son cul, et pour cause. Je ne parle pas métaphysique ici, je parle physique. Incomparablement plus que la queue des hommes (qu'on montre moins, pourtant), le cul des femmes est privé. Même si une pute décide (comment faire autrement ?) que ce qui arrive à son vagin est sans importance et que la vraie intimité c'est le baiser sur la bouche, elle sait que le cul des femmes est privé et elle sait pourquoi : il est le lieu de notre lien avec le mystère du temps, de notre origine, de l'être même, du naître, du fait que nous tous, autant que nous sommes, hommes et femmes, êtres pensants, dansants, riants, pleurants, travaillants, avons démarré notre existence en cellules minuscules dans le tréfonds du ventre d'une femme, sommes tous jaillis d'un vagin sanguinolent, et finirons tous en poussière.

Le cul des femmes, c'est privé. Mais quelle vie privée peut avoir une femme quand est atteinte, jour après jour, comme dit Nelly Arcan, "la chair même d'où émane l'amour" ? On ne peut pas, d'une part, parler d'égale dignité entre les sexes, et, de l'autre, s'arranger avec l'idée que des millions de femmes, de par le monde, ont la vie pourrie par cette chose-là.

Plus vieux métier du monde ? A d'autres. Sous ses diverses formes contemporaines (avec une mention spéciale pour la pornographie), la prostitution transforme sciemment, à des fins pécuniaires, un besoin naturel en addiction planétaire. Certes, les hommes de notre espèce sont programmés pour désirer les jeunes femmes aux formes appétissantes et, même scindé de son but reproducteur originel, ce comportement est destiné à perdurer. Mais l'industrie du sexe ne se contente pas de répondre à cette demande, elle la suscite et la transforme en dépendance, tout comme les trafiquants de drogue suscitent la dépendance des toxicomanes. Crescendo à l'infini de l'offre et de la demande entre hommes et hommes, dont les femmes les plus vulnérables font les frais.

Même pour les femmes qui choisissent le métier en connaissance de cause et le gèrent selon leur gré, écrit Virginie Despentes, "il y a une comparaison possible entre la drogue dure et le tapin. Ça commence bien : sensation de pouvoirs faciles (sur les hommes, sur l'argent), émotions fortes, découverte d'un soi-même plus intéressant, débarrassé du doute. Seulement c'est un soulagement traître, les effets secondaires sont pénibles, on continue en espérant retrouver les sensations du début, comme pour la came. (…) Ce qui était une force fantastique qu'on maîtrisait déborde du cadre et se fait menaçant. Et ça devient son propre sabordage" (74-75).

Liberté des mœurs ? Au contraire, mœurs de misère. La prostitution n'a rien à voir avec la liberté, c'est un monde fait de contraintes, tant intérieures qu'extérieures. Dans les chambres closes se déroulent de sinistres mises en scène où les hommes tentent de se réparer et où les femmes se font casser un peu plus. Evoquant un client surnommé le Chien, Arcan se dit qu'""à bien y penser il lui aurait fallu trop de temps pour me raconter l'histoire des connexions qui l'ont amené à jouir du mépris qu'on lui porte" (61). Despentes confirme : "Dans ma petite expérience, les clients étaient lourds d'humanité, de fragilité, de détresse. Et ça restait, ensuite, collé comme un remords" (65).

En revanche, cet univers "pour adultes exclusivement" a *tout* à voir avec cela même qu'il nie de toutes ses forces : l'enfance. Arcan dit que dans la prostitution, il est fortement question de l'inceste fille-père. Elle dit que si les femmes mettent tant de souplesse et de bonne volonté à se soumettre aux exigences des hommes puissants, c'est qu'elles ont appris, petites, à aimer leur papa et à obéir à ses ordres, souvent assortis de punitions. Donc, à aimer les ordres et les punitions.

Plus original encore, Arcan n'oublie pas que l'homme, client ou mac, bon ami ou violeur tortionnaire, a été lui aussi enfant. Qu'il a lui aussi observé et encaissé, petit, les travers de ses parents. C'est un des grands thèmes de son roman *A ciel ouvert* : "Encouragé par le corps de Julie qui se penchait sur lui, encouragé aussi par ses questions qui le relançaient, Charles avait fini par céder et parler de la boucherie de Pierre Nadeau, son père, en donnant des détails qu'il s'était promis de ne jamais mettre en mots, de peur de tout déterrer, de ramener au vif du présent l'abomination passée" (64).

En d'autres termes, Arcan démontre que nos obsessions, manies, misères et terreurs sexuelles ne tombent pas du ciel, mais poussent dans le terreau de l'enfance. Et que, par ailleurs, la scène prostitutionnelle est érigée sur une série de fictions conçues pour pallier les vertiges propres à notre espèce. Le vertige du vieillissement. Celui de la mort. Celui du temps qui passe. Celui d'être, aussi, tout simplement, l'enfant de quelqu'un et le parent de quelqu'un.

XII

BABY OR NOT BABY

C'est toute l'humanité que je répudie,
mon père, ma mère et mes enfants si
j'en avais, si je pouvais en avoir, j'allais
oublier que je suis stérile, incendiée, que
tout le sperme du monde n'arriverait
pas à éveiller quoi que ce soit en moi.

NELLY ARCAN

L'escalier

Les années ont passé, vous avez la trentaine, vous voilà mariée et mère. (Même s'il existe entre vous et votre mari une belle entente intellectuelle et quotidienne, il dit être tombé amoureux de vous en raison de certain T-shirt mauve et, loin de vous indigner, cet aveu vous enchante.) Aux yeux de la plupart des dragueurs dans la rue, les enfants accrochés à vos basques opèrent le même effet qu'un homme : ils vous désignent comme la propriété privée de quelqu'un. De ce fait, vous disparaissez le plus souvent de l'échiquier de la séduction.

Mais ce n'est pas toujours le cas. Un beau jour d'été, vêtue d'une jolie robe en coton blanc, vous montez l'escalier de sortie au métro Sully-Morland, tenant de la main droite celle de votre fillette de six ans et serrant sur la hanche gauche votre bébé de quelques mois... Soudain vous sentez, sur votre sexe, une caresse. La caresse d'un homme inconnu, *là*, bien appuyée, à l'entrejambe, alors que vos deux bras sont remplis de marmaille. Il vous a vue de dos, vous a rattrapée dans l'escalier et, glissant subrepticement le bras sous votre robe, vous a imprimé une douce caresse, *là* – puis, vous ayant "eue", il vous dépasse et se volatilise.

Et vous êtes là, comme toujours devant les *actions* sexuelles des hommes, à analyser votre *réaction*, en l'occurrence un mélange inextricable de plaisir ("Je suis donc encore belle ?"), de colère féministe ("De quel droit... ?") et d'incrédulité ("Mais comment *osent-ils* ?").

Un bâton dans la roue de l'unisexe

La maternité jette un bâton dans la roue de l'identité entre les sexes, telle que tentent de la faire tourner nos idéologies. Elle *change* les femmes : dans leur rapport à elles-mêmes, à leur corps, à leur désir, à leur amoureux. Celui-ci est souvent jaloux, et pour cause, des attentions dont sa bien-aimée couvre leur rejeton pendant les premiers mois ou les premières années de sa vie. "Depuis le début des temps, écrit Nelly Arcan dans *Folle*, les femmes ont usé de cette capacité de rendre les pères et les bébés interchangeables, et c'est peut-être en vertu de cette capacité que bien souvent elles se désintéressent des pères une fois les bébés mis au monde" (69).

Allaitantes, ou avec un bébé aux bras, les femmes sont différentes. Et la société leur dit que non, pas du tout ; elles sont les mêmes, doivent à tout prix rester les mêmes.

L'homme continue d'être obnubilé par la transformation du corps de sa femme pendant la grossesse, par l'intensité de ses douleurs quand elle accouche, par sa propre impuissance à l'aider alors, par l'idée qu'il est lui-même né de cette manière, en faisant hurler une femme… et par sa chance d'avoir, lui, un corps qui peut encore se balader et bander et baiser comme d'habitude, alors que le corps de sa femme est lesté par un petit humain qui tète, trépigne et crie son besoin d'elle.

On peut nier ces faits-là, qui nous dérangent et nous donnent le vertige. Toutes les religions monothéistes les nient. C'est même une des principales fonctions de ces religions : d'où leur tendance à imaginer des mâles faisant jaillir la vie de nulle part, et à aduler des mères vierges. Michel Houellebecq les nie, dont les romans projettent un avenir de clonage, de reproduction non sexuée, pour "nous" libérer enfin de l'asservissement au, et du, corps féminin.

Le théâtre de la prostitution les nie suprêmement. Rien de tout cela n'existe, nous assure-t-il. Rien que l'ici et le maintenant, la jouissance et le pouvoir. Dans ce théâtre, l'homme s'empare d'un corps – d'éphèbe, de femme ou d'enfant, peu importe – et ne le féconde pas. Il jouit en pure perte. Ici, l'éjaculation n'a rien à voir avec l'enfantement, ni avec la mortalité. Le sperme gicle et, même quand il gicle dans un vagin, aucune conception n'a lieu. Le sperme existe mais l'ovule non, ni l'utérus, ni les règles. Le corps désiré est beau, avide… et vide. On peut le retourner dans tous les sens, le secouer, le percer et le pénétrer de partout : il restera *un*, jamais deux. La femme prostituée est jeune par quintessence (si elle n'a pas la jeunesse, elle doit la singer de son mieux), donc féconde, mais stérile. Cela fait partie de sa définition. Elle est un "je sais bien mais quand même" ambulant.

Dans la mesure où il faut bien faire tourner l'économie, et donc garantir un bon taux de remplacement des travailleurs, la maternité est "glorifiée" aujourd'hui en Occident par les discours publics. Les intellectuels et artistes, en revanche, ont nettement tendance à la conspuer, à la moquer, à la passer sous silence ou, du moins, à la réduire à sa portion congrue.

Dire que la maternité n'est plus, comme ce fut le cas au long de l'Histoire, la culmination de la féminité, c'est peu dire : elle est devenue son *envers*. Pourquoi ? *Parce que l'accouchement est l'un des rares moments dans la vie d'une femme où elle cesse d'être une image.* "La femme ne tient pas forcément à laisser voir l'envers de sa féminité, écrit le professeur obstétricien René Frydman dans son petit livre *Lettre à une mère*. Si la péridurale endort la partie inférieure de son corps, elle sait que tout y est visible de la souffrance et des déchirures des mères. Certaines se poudrent avant de venir accoucher, maquillent d'avance la grimace. Vaine retouche de celles qui se sentent confusément devenir animales. *Une femme qui accouche ne maîtrise plus rien de son image.* Je sais avant elle qu'il y a un moment où tout va basculer" (62, je souligne). Escamoté par l'art, donc, ce moment crucial dans la vie d'une femme. Hors cadre, tant pour la femme elle-même que pour la société qui l'entoure.

Or, sans miroir, sans caméra, sans écran où nous refléter, nous sommes paumées. Alors… vite vite, effacer ce moment d'exception et revenons à la règle : *regardez-moi !*

Etre mère c'est être dans le temps…

L'image de la mère à l'enfant, omniprésente dans l'univers artistique depuis la préhistoire, s'affaiblit dans la Grèce ancienne (aux valeurs ouvertement misogynes) avant de revenir en force dans le christianisme. Encore présente de nos jours dans les "arts premiers" (la sculpture africaine ou polynésienne, par exemple), elle est largement absente des images valorisées par l'Occident contemporain. Au début du XXᵉ siècle, Egon Schiele pouvait encore peindre des prostituées aux chairs tourmentées, l'enfant au sein ; à la même époque, telle gravure érotique japonaise montrait un homme et une femme en pleins ébats amoureux tandis qu'un gros bébé tétait la femme. Aujourd'hui, l'enfantement est oblitéré et la photographie nous a implanté durablement dans la tête ce qui, au long de l'Histoire, avait été une contradiction dans les termes : l'idéal d'une beauté féminine stérile. Vieux jeu, la statuaire maternelle de l'Afrique, de l'Inde ou du Mexique ; primitif, révolu, terminé tout ça ! A bas l'image aliénante véhiculée dans la tradition européenne par les innombrables *Nativité*, *Madone* et *Pietà* ! Dans la peinture, la sculpture, la photographie, la publicité, la mode, le cinéma et la pornographie modernes, la femme est montrée ou seule, ou flanquée de l'homme que, déployant mille ruses et subterfuges, elle a réussi à capturer.

Il y a à cela, à mon avis, une explication simple : la photographie est instantanée alors que, de façon flagrante, la maternité est inséparable du temps. Elle se déroule dans la durée.

L'homme n'a besoin que de trois secondes pour féconder une femme ; s'ensuivent pour celle-ci neuf mois de grossesse et (même en éliminant l'allaitement) de longues années d'efforts pour apprendre à son petit à manger, à marcher, à parler, à se débrouiller dans le grand monde… Oui, la maternité nous sort de toutes les images figées et nous oblige à reconnaître la succession inexorable des phases de la vie. Partant, elle nous rappelle, aux hommes comme aux femmes (même si ce n'est vraiment pas la faute de celles-ci !), la finitude tragique de notre existence : *c'est parce que nous sommes nés que nous allons mourir.* C'est pourquoi la maternité fait peur, et a été traitée dans toutes les cultures comme une chose dangereuse : sacrée et profanée, adorée et détestée, vénérée et redoutée, associée à la mort. Certaines religions exaltent sa puissance, d'autres la purifient et la piédestalisent ; sous les traits de Héra-Déméter ou de Vénus-Aphrodite, même l'Antiquité gréco-romaine lui accordait sa place ; nos sociétés laïques et cybernétiques sont les premières à l'exclure radicalement de la représentation.

En visitant *Masculin-Féminin*, ambitieuse expo de peinture et sculpture présentée au centre Georges-Pompidou voici une quinzaine d'années, on pouvait voir des scènes de copulation tous azimuts, des corps déchiquetés, violés, transpercés, ficelés, rapiécés, automutilés, transsexués ; y figurait zéro objet d'art évoquant la fécondité comme l'une des caractéristiques possibles du corps féminin. Hommes et femmes étaient pareillement objets de sévices, pareillement souffrants et solitaires ; certaines femmes étaient dotées d'un vagin et de deux voire de plusieurs seins ; aucune ne portait ni ne nourrissait un enfant. Dans les festivals de cinéma consacrés çà et là au "Masculin-Féminin", même absence radicale du maternel. C'est dire la violence du rejet – car, jusqu'au début du XXᵉ siècle, fécondité et féminité étaient pour ainsi dire synonymes.

Autre façon de nier le passage du temps : les êtres humains représentés dans ces manifestations artistiques de "l'avant-garde" sont généralement de jeunes adultes en pleine possession de leurs forces ; si les enfants sont rares et les vieillards, inexistants, c'est que ces moments de la vie nous rappellent la vérité embêtante de notre fragilité intrinsèque et de notre dépendance.

... Ne pas être mère aussi

Prendre une pilule par jour, puis cesser de la prendre une semaine par mois ou un mois par an, c'est être dans le temps. Oui : même le refus d'engendrer, sous forme de contraception et *a fortiori* sous forme d'avortement, engage différemment la femme que l'homme.

Il suffit de songer au destin de Camille Claudel, jeune artiste amoureuse d'Auguste Rodin. Sans doute n'y-a-t-il jamais eu d'imbrication plus affolante entre une femme et son image. Au début de leur relation, Claudel est simultanément l'amante, le modèle et la collaboratrice de Rodin. Elle lui offre son corps, il le malaxe et le caresse comme il malaxe et caresse le corps de ses sculptures. Rodin amant et Rodin sculpteur c'est le même homme : c'est l'agissant, le caressant, le fécondant. Claudel, elle, a plusieurs corps : corps de modèle nu mis à distance, objet de regard ; corps d'artiste sachant voyager dans l'âme des êtres et travailler le marbre pour qu'il révèle cette âme ; corps d'amante passionnée, transgressive et libre ; corps sans contraception, corps fécondé... corps enceint.

Camille Claudel se fera avorter ; les membres du bébé potentiel seront arrachés à ses entrailles : à cause de cela elle connaîtra, outre la souffrance et le sang, la honte et la culpabilité. Sa famille prendra mal la chose. Son frère Paul – le même qui avait tenu des propos si perspicaces sur l'émiettement de "la belle Hélène" à l'ère de la photographie – dira qu'en raison de ce meurtre d'un innocent, de ce péché contre Dieu, Camille mérite de croupir jusqu'à la fin de ses jours dans un hôpital psychiatrique. C'est ce qu'elle fera.

L'enfant était celui de Rodin aussi, mais ne se trouvait pas dans ses entrailles. Où était Auguste pendant que Camille le faisait extirper de son corps ? Il n'a ni saigné, ni pleuré, ni subi le moindre opprobre pour avoir participé à la conception d'un enfant illégitime ; il a continué pendant ce temps à penser et à créer. Plus tard, quand Camille s'acharnera à coups de marteau contre ses propres sculptures, frappant, fracassant la beauté de son propre travail, effectuant ce qu'elle-même qualifiera de *sacrifice humain*, détruisant, après celui qu'avait engendré son utérus, les corps qu'avait engendrés son imaginaire, Auguste ne manquera pas une seule journée de travail – magnifique, génial, immortel – dans son atelier.

Alors ne me dites pas qu'il n'y a pas de différence entre les sexes.

Bébés congelés

Véronique Courjault n'a pas été préparée à la maternité. Dans sa famille, il y avait de lourds secrets autour de naissances illégitimes ; on reconnaissait à peine l'existence des enfants, et on ne fêtait jamais leurs anniversaires... Plus tard, cette mère apparemment épanouie de deux enfants tuera quatre de ses nouveau-nés ; elle en enterrera deux dans son jardin et, quelques années après, en mettra deux autres au congélateur.

Le procès de Véronique Courjault a fait beaucoup de bruit. Les psychologues appelés par la Cour ont expliqué que si à trois ans une petite fille n'a pas intériorisé l'idée de sa future maternité, elle aura du mal à le faire par la suite. Ils ont réussi à faire exister dans la conscience publique française la pathologie dite du "déni de grossesse" et, en l'espace de quelques mois, de façon quasi miraculeuse, la mère infanticide est passée du statut de monstre à celui de victime.

En Suède, on ne plaisante pas avec l'égalité des sexes. "A l'école maternelle de Järfälla dans la banlieue de Stockholm, lit-on dans un numéro spécial du *Monde*, il aura suffi qu'une chercheuse spécialisée dans les questions de «genre» vienne observer la vie de la collectivité pour que les éducateurs perdent leurs illusions. (…) Malgré tous leurs efforts, filles et garçons continuent dans cette école de ne pas jouer aux mêmes jeux, de ne pas bouger de la même façon, d'interagir avec leurs pairs selon des modalités différentes. Pire : lors des repas, une nuée de petites filles s'activent autour des garçons attablés… L'horreur. Et la preuve irréfutable que les stéréotypes ont la vie dure*."

Voilà notre cher dogme familier selon lequel, contrairement aux animaux, les humains ne seraient prédisposés par la biologie à *aucun* comportement, et *toutes* les différences entre les sexes surgiraient des stéréotypes sociaux. Plus loin dans le même numéro, Gaïd Le Maner-Idrissi, professeur de psychologie à Rennes, se lamente de ce que, "malgré l'évolution des mentalités, les attitudes éducatives restent aujourd'hui encore très éloignées d'un modèle unisexe dans la majorité des pays développés". Zut et flûte, rien à faire : "Ils savent qu'ils sont fille ou garçon entre vingt-quatre et trente-six mois !"

* "Poupées roses et autos bleues", *Le Monde* du 29 août 2009.

A ce rythme-là, on risque de découvrir sous peu, en France comme en Suède, beaucoup de bébés congelés. On ne peut pas à la fois se scandaliser de ce qu'on prépare les petites filles à un avenir incluant la maternité et s'étonner de ce que, devenues mères sans y être préparées, elles fourrent leurs fœtus au frigo.

Maternité refusée...

Etant donné la scission en Occident moderne entre fécondité et beauté féminines, et la disparition des images de celle-là au profit de celle-ci, on peut s'attendre à ce que les femmes ayant fortement investi leur beauté rencontrent des problèmes aux abords de la maternité. Revenons sur les histoires des quelques belles célèbres déjà rencontrées dans ces pages, et voyons ce qu'elles ont fait de leur fécondité, ou ce que celle-ci a fait d'elles.

Anaïs Nin, de la même génération exactement que Simone de Beauvoir, s'avérera comme celle-ci une non-mère d'une rare fermeté. Comme elle était de constitution fragile, plusieurs médecins lui ont conseillé de ne pas faire d'enfant. Il est vrai que, catholique encore au moment d'épouser Hugh Guiler, elle estimait alors que pour les femmes l'enfantement était "l'accomplissement divin de leur mission sur terre" (27 décembre 1922). Mais pendant ses années parisiennes, de 1925 à 1945, constatant l'existence épuisante et ennuyeuse des mères de son milieu, trouvant déjà assez difficile de concilier les plaisirs que lui apportaient sa beauté et son intelligence, se disant (à juste titre) que la maternité ne ferait que la fragmenter un peu plus, elle y a renoncé.

Mais Beauvoir était plus conséquente ; elle s'est occupée efficacement de sa contraception et de ses avortements. Au contraire, quand Nin se retrouve enceinte à trente et un ans en 1934, elle note l'événement dans son *Journal* et... *ne fait rien*. Le lecteur de son *Journal* ne peut que la suivre, médusé, tandis qu'elle vaque à ses affaires, voit ses amants, étudie la psychanalyse et s'efforce d'écrire, tout en sachant qu'un être humain, dont elle ne veut pas et dont elle ne parle pas, continue semaine après semaine de grandir dans son ventre.

A *six mois de grossesse révolus*, l'argent de Hugh aidant, Anaïs organise enfin son avortement dans une clinique de la banlieue ouest parisienne. La scène de son arrivée à la clinique est peu banale : une théorie d'hommes l'accompagnent, l'entourant de leur tendresse et de leur soutien. Comme Nin tient à faire fonctionner tout au long de l'opération ses dons d'observation et d'analyse, elle refuse l'anesthésie et souffre le martyre. La mise au monde du fœtus enfin accomplie, les infirmières emportent son cadavre – mais non, Nin *veut le voir*. Les infirmières refusent. Nin convoque le médecin et exige qu'on lui montre son enfant. Il refuse. Nin mobilise ses hommes, insiste ; elle tient à pleinement comprendre et accepter ce qui vient de se passer : un être humain, par son choix, n'entrera pas dans la vie. Elle finit par obtenir gain de cause : on lui apporte le presque enfant, fillette minuscule et parfaitement formée que Nin appellera "la fille aux longs cils".

Même si elle a plusieurs partenaires sexuels à cette époque, parmi lesquels Hugh Guiler son mari si compréhensif et le psychanalyste Otto Rank, l'enfant semble être celui du romancier américain Henry Miller. Dans le long texte que Nin écrira le 29 août 1934, dont le titre *Birth* indique la lucidité noire, elle raconte les douleurs de cette "naissance" et explique longuement à l'enfant pourquoi elle n'a pas pu la laisser vivre : "Tu es née d'un homme mais tu n'as pas de père. Cet homme qui m'a épousée, c'est lui qui a été pour moi un père. Je ne supporterais pas qu'il s'occupe d'une autre et que moi je redevienne orpheline."

Voilà pour Hugh, l'homme qui aurait élevé la petite. Qu'en est-il de Henry, le père biologique ? "Tu es aussi l'enfant d'un artiste, mon enfant non née. Et cet homme n'est pas un père ; c'est un enfant, c'est l'artiste. Il a besoin de tous les soins, toute la chaleur, toute la foi, pour lui-même. Ses besoins sont sans fin." En somme, conclut l'écrivaine, "pour ne pas être abandonnée, j'ai tué l'enfant. Je ne me suis pas donnée à la terre, ni à ce travail de toute une vie qu'est la maternité. J'aime l'homme amant et créateur. L'homme père, je m'en méfie. (…) En l'homme père, je sens un ennemi, un danger." C'est d'une logique imparable, d'un courage presque effrayant.

Finie, donc, avant de commencer, la maternité d'Anaïs Nin. Celle-ci est morte en 1977 à l'âge de soixante-quatorze ans – après une vie, dans l'ensemble, plutôt heureuse.

… écartée

Lee Miller, la belle et blonde Américaine qui avait été d'abord modèle puis photographe, sera une mère minimale. On a vu que sa carrière avait atteint son apogée en 1945, avec le célèbre reportage sur les victimes des camps nazis. Au long de cette période où elle travaillait comme photographe de guerre, elle avait partagé ouvertement sa vie entre deux amants, le peintre et poète britannique Roland Penrose (de sept ans son aîné), et le photojournaliste américain David Scherman (de neuf ans son cadet). Se retrouvant enceinte en 1947 à l'âge de quarante ans, elle décide d'épouser Penrose, et c'est sur l'insistance de celui-ci qu'elle renoncera à la photographie pour se consacrer à la cuisine – devenant, un temps, un vrai chef gourmet.

"Elle croyait vouloir la sécurité, dira beaucoup plus tard son fils Antony, interviewé par Sylvain Roumette pour son film *Lee Miller ou la Traversée du miroir* – mais, quand elle l'a eue, cela ne la rendait pas heureuse." Lee était distante comme mère, se souvient-il. Elle a eu du mal avec ce rôle – à tel point que, peu de temps après l'accouchement, elle s'est écartée et a laissé une amie élever son petit Tony.

Distante comme mère à la fin des années 1940… lointaine comme mannequin au début des années 1930… glaciale dans les photos de Man Ray… Cette distance n'est-elle pas celle qui séparait Miller de son propre corps depuis toujours – depuis, du moins, le viol subi à l'âge de sept ans et les séances de pose nue devant son père au cours de la décennie suivante ? "Dans toutes mes histoires d'amour diverses et variées, dira-t-elle, je n'ai jamais été réellement aimée. Toujours il y a eu une hideuse attirance animale" *(ibid.)*.

Miller se coupera également de son art ; le renoncement sera total. Ses photos, toutes les traces de vingt années de travail, disparaîtront. Ce n'est qu'après la mort de sa mère, en triant le contenu des vieux cartons entassés dans son grenier, qu'Antony apprendra qu'elle a été photographe !

Lee Miller, donc : maternité écartée, tant avant l'accouchement qu'après. Elle mourra vieille – après une vie, dans l'ensemble, plutôt malheureuse.

… *interrompue*

Norma Jean Baker, qui, on l'a vu, n'avait jamais connu son père, et avait passé les premières années de sa vie dans l'insécurité auprès d'une mère malade avant d'en être séparée, gardée par des amis, envoyée dans des écoles religieuses puis dans un orphelinat… a très probablement rêvé de réparer les dégâts de son enfance désastreuse en couvrant d'amour un petit enfant. Dans la vingtaine, elle est enceinte d'un amant de passage et se fait avorter, dans les conditions (douloureuses, culpabilisantes) que l'on imagine aux Etats-Unis dans les années 1950. Dix ans plus tard, mariée au grand auteur de théâtre Arthur Miller, enceinte et heureuse de l'être, elle tombe dans l'escalier au cours du cinquième mois de la grossesse et fait une fausse couche. Elle ne sortira jamais vraiment de la dépression qui s'ensuit ; ira d'hospitalisation en tentative de suicide…

Finies avant de commencer, les maternités de Marilyn Monroe. Elle est morte à trente-six ans, probablement d'une erreur de prescription pharmaceutique, mais en pleine déroute liée à la surconsommation de drogues.

… *empêchée*

A vingt-trois ans, Jean Seberg est enceinte du grand écrivain et diplomate français Romain Gary. Mais tous deux sont encore mariés à quelqu'un d'autre ; pour protéger leur réputation, et pour permettre à Gary de reconnaître l'enfant plus tard, ils décident que la grossesse de Jean sera tenue secrète. C'est comme pour Rodin et Claudel : l'enfant est celui de l'homme aussi, mais l'homme ne le porte pas dans son ventre ; les conséquences de leur décision sont plus graves pour la mère que pour le père.

Au début c'est comme un nouveau rôle. Neuf mois durant, Seberg doit faire semblant de ne pas être enceinte, de ne pas avoir un autre être humain dans son ventre, dans sa vie. La naissance de son fils Diego n'est annoncée à personne. Le couple le laisse avec sa nourrice Eugenia en Espagne, puis avec une cousine de Romain à Nice, et Jean de reprendre le travail. Au cours de l'année qui suit, le divorce de Romain s'enlise et s'éternise ; pendant ce temps, le couple fait comme si leur fils n'existait pas. Seberg a un petit garçon à mille kilomètres de l'endroit où elle vit, rit, tourne des films et fait l'amour ; elle est mère mais personne ne doit le savoir ; elle "joue" donc, vingt-quatre heures sur vingt-quatre, une femme qui n'est pas mère. Enfin divorcé, Gary fait établir un faux certificat de naissance pour Diego – mais, en attendant que s'atténue la disparité trop flagrante entre l'âge officiel et l'âge réel de l'enfant, celui-ci doit rester à l'écart. C'est dans cette situation schizoïde que Seberg composera, dans *Lilith* de Robert Rossen, le plus beau rôle de sa vie. Le tournage a lieu dans un hôpital psychiatrique aux Etats-Unis. Seberg y incarne une schizophrène aux tendances nymphomanes, qui séduit puis rend fou un thérapeute fragile (Warren Beatty) ; celui-ci finira par l'éventrer.

Quand Diego vient enfin s'installer chez ses parents, c'est un petit hispanophone de cinq ans ; ils n'ont aucune langue en commun. De longues années plus tard, dans *S. ou l'Espérance de vie* (2009), Diego rendra hommage dans des termes émouvants à sa nourrice espagnole, disant explicitement qu'elle a été une mère pour lui. Même après son arrivée à Paris, l'enfant sera souvent en vadrouille, pris en charge par des amis à droite et à gauche, car ses parents célèbres sont sollicités aux quatre coins de la planète.

A la suite d'une aventure de Jean avec Clint Eastwood en 1968, les parents de Diego se brouillent ; ils se sépareront en 1970. La même année, Seberg se trouve à nouveau enceinte, cette fois d'un jeune militant politique mexicain. Alors qu'ils sont en instance de divorce, Gary décide de reconnaître l'enfant ; le FBI, qui a mis sur écoute l'appartement de Seberg et suit de près ses liens avec les Black Panthers, décide de faire circuler la rumeur que le père de l'enfant est Jamal le militant. Bouleversée, Seberg fait une tentative de suicide ; Gary l'envoie se reposer en Suisse. *Newsweek* publie la rumeur du FBI et Gary poursuit le magazine en justice. Peu après, Seberg donne naissance à une petite fille, Nina, qui meurt deux jours plus tard. Pour prouver que Nina est blanche, Jean se fera prendre en photo à de nombreuses reprises avec le corps embaumé de l'enfant… Mais Jamal, furieux parce que Gary a décidé de l'expulser de la vie de Jean, déchire et brûle toutes ces photos avant de quitter la France.

Jean Seberg a été une mère largement empêchée. Elle mourra à quarante ans, après avoir absorbé de fortes doses d'alcool et de barbituriques.

… *massacrée*

Qu'en est-il d'Isabelle Fortier *alias* Nelly Arcan ? Dans *Putain*, le roman qu'elle publie à vingt-huit ans, révoltée par l'hypocrisie qui entoure la prostitution, elle explique pourquoi elle ne veut pas être mère : "Il ne faut plus avoir d'enfants, jamais, pour ne plus offrir aux hommes une jeunesse à se mettre sous la dent, il ne faut plus se contenter de se méfier des grands méchants loups qui réclament le Petit Chaperon Rouge, il faut leur donner une bonne leçon, leur montrer qu'eux aussi sont devenus vieux et laids, qu'ils doivent reprendre leur place et garder les mains sur eux, mais rien ne sera fait car il n'y a que moi pour s'en plaindre, c'est moi qui n'accepte pas de vieillir et d'avachir sous les poids d'une grossesse, qui ne veux pas disparaître derrière un enfant, voilà pourquoi je n'en aurai jamais, pour ne pas risquer d'avoir une fille qui vienne à chaque instant me rappeler que je n'ai plus vingt ans, pour ne pas voir ma fille parader en sous-vêtements et putasser avec Pierre, Jean et Jacques, avec un père qui n'aura d'yeux que pour elle" (79).

Deux ans plus tard, en 2003, Arcan publie son deuxième roman, *Folle*. L'héroïne de ce livre se trouve enceinte de l'homme dont elle est "folle" – mais son amant exige qu'elle supprime l'embryon. L'amour lui importe plus que la maternité, et elle obtempère.

Après l'étude de son visage dans le miroir, cette scène d'avortement sera pour Nelly Arcan l'occasion de donner à ses lecteurs une deuxième grande leçon de matérialisme. De retour à la maison après l'intervention, sentant "de lourdes crampes faire tomber de petites masses noires entre mes jambes", l'héroïne pose ces caillots sur la toile cirée à la cuisine, les étudie de près et les décrit longuement. (Oui, c'est insoutenable… mais nous sommes tous nés de cet insoutenable-là.) "Ce soir-là j'ai appris beaucoup de choses, écrit-elle. Par exemple que l'âme n'existait pas et que les hommes se racontaient beaucoup d'histoires pour rester debout devant la mort" (81).

Une philosophe, une vraie, cette jeune femme.

En 2007 Isabelle Fortier hésite encore, n'arrive pas à se décider : faire un enfant, ne pas en faire ? Devenir mère serait rejeter une fois pour toutes le nihilisme, délaisser les absolus exaltants du "tout" et du "rien" ; entrer dans le relatif et le fragile d'une histoire qui se déploie. Julie, l'héroïne d'*A ciel ouvert*, le roman qu'elle publie cette année-là, a le même âge qu'elle : "Trente-trois ans vers les trente-quatre – un âge, pensait-elle, où les blessures d'amour faisaient partie du passé et où il était temps de penser aux bébés, de déterminer une fois pour toutes si oui ou non on est une mère, si oui ou non l'enfant aura un père. (…) Si un jour elle avait un enfant, si un jour son utérus trouvait les moyens de ne pas se voir arracher une fois de plus son dû dans une clinique d'avortement, il faudrait bien qu'il ait un père, pour qu'il le prenne en main" (8-9).

Mais en toute sincérité… existe-t-il beaucoup d'hommes capables d'envisager sereinement la vie auprès d'une femme qui a reçu en elle ou sur elle, dans sa prime jeunesse, le sperme de trois mille pénis différents ?

Nelly Arcan, non-mère indécise, s'est pendue à l'âge de trente-six ans.

Pour qu'une femme ayant joué dans sa carrière la carte "beauté" puisse bien vivre la maternité, il lui faut une sacrée force venue de l'enfance. Cela arrive parfois : c'est le cas (pour ce que l'on peut en deviner) de Jane Birkin, de Catherine Deneuve ou de Madonna.

Mais pour celles qui se sont égarées, jeunes, dans l'abîme du dédoublement *(qui est moi et qui aime-t-on ? moi ou mon image ?)*, la maternité prend souvent l'aspect d'une catastrophe.

XIII

PUTES DE MÈRE EN FILLE

Hé ! c'est ma fille que vous baisez, là !
C'est ma p'tite fille que vous attirez sur
le siège avant ! C'est mon sang !

COLUM McCANN

Tillie et Jazzlyn

On s'en souvient, Nelly Arcan en voulait aux clients qui trouvaient normal de baiser une inconnue de l'âge de leur fille, tout en ne souhaitant pas que leur fille se fasse baiser par des inconnus. Pour ma part, je croirai que la prostitution est un métier comme les autres le jour où les prostitué(e)s – mais aussi les intellectuel(le)s, il n'y a pas de raison ! – encourageront leur fille à pratiquer ce métier.

Il est permis de penser que, très généralement, les clients dissimulent à leurs enfants ce qu'ils font avec les putes ; pas facile pour celles-ci de faire de même.

Dans son roman *Et que le vaste monde poursuive sa course folle*, Colum McCann campe deux superbes personnages de prostituées mère et fille : Tillie et Jazzlyn.

Au début, Tillie parle de son métier avec détachement : "Le tapin, j'suis née dedans. J'exagère pas.

Jamais voulu d'un taf normal. J'habitais juste en face du turf de la Prospect Avenue à la 31e Rue est. De la fenêtre de ma chambre je voyais les filles bosser" (199)… Arrivée à la puberté, elle s'y lance : "Bas, *short* shorts, talons aiguilles. Suis entrée en trombe dans le tapin" (200).

Pourtant, seulement quelques lignes plus bas, il devient clair que cette vie est loin d'être un idéal à ses yeux : "Première chose que tu fais quand t'as un bébé, tu te dis : jamais elle fera le tapin. Tu te le jures. Pas mon bébé à moi. Jamais elle ira se traîner là. Alors tu continues de tapiner pour qu'elle ait jamais à tapiner" *(ibid.)*.

Les années passent, Tillie se drogue pour tenir le coup ; de temps à autre elle parvient à quitter le trottoir mais chaque fois elle y retourne. Un jour, arrêtée et écrouée pour racolage, elle décide de se suicider : "J'vais prendre mon pied. J'vais me pendre aux tuyaux dans la salle des douches puis j'prendrai mon pied. Regardez-moi danser, là-haut, suspendue au joli tuyau" (228).

Entre-temps, sa fille Jazzlyn a commencé à se prostituer et ça met Tillie hors d'elle. "J'sais pas qui est ce nommé Dieu mais si jamais mon chemin croise le sien j'vais le coincer jusqu'à ce qu'Il me dise la vérité. J'vais le gifler et le bousculer jusqu'à ce qu'Il puisse plus se sauver. Jusqu'à ce qu'Il soit tout petit par terre à lever les yeux vers moi et alors j'l'obligerai à me dire pourquoi Il m'a fait ce qu'Il m'a fait, et pourquoi tous les gentils crèvent, et où est ma Jazzlyn maintenant, et comment elle a échoué là, et pourquoi Il m'a laissée lui faire ce que je lui ai fait" (230). "Quand elle a grandi, ajoute-t-elle, j'regardais parfois les mecs avec elle et j'me disais : Hé ! c'est ma fille que vous baisez, là ! C'est ma p'tite fille que vous attirez sur le siège avant ! C'est mon sang ! J'étais une camée à l'époque mais c'est pas une raison. J'sais pas si l'monde pourra me pardonner un jour toute la merde que j'ai flanquée dans son chemin" (236).

Tillie finira effectivement par se suicider. Des années plus tard, sa petite-fille Jaslyn dira que pour sa grand-mère la mort était la seule issue. "Comment faire... pour quitter cette vie-là en rampant à quatre pattes et recommencer ailleurs ? Comment faire pour s'en sortir indemne ? Avec quels balais, quelles pelles ? Allez, ma chérie, attrape mes bottes à talons hauts, balance-les dans le chariot et en route pour l'Ouest !" (342.)

Prostituées et cœurs de mère

On pourrait m'objecter que la "Tillie" de Colum McCann n'est pas une femme réelle, seulement un personnage littéraire, et qu'on peut faire dire aux personnages tout ce qu'on veut... Mais il se trouve que beaucoup de prostituées réelles disent la même chose que Tillie.

En 1997 le documentariste Jean-Michel Carré a réalisé un film intitulé *Prostituées et cœurs de mères*. Y étaient interviewées avec respect et délicatesse trois prostituées parisiennes d'une quarantaine d'années, et leurs filles, âgées de dix-huit à vingt ans.

Les mères, tout en s'y étant résignées, ne semblent pas trouver que leur choix d'activité professionnel ait été anodin. "J'ai tout fait, dit l'une, j'ai tout essayé, ça ne marchait pas, alors voilà, j'ai dû me résigner à ça." "Plus ça va, dit une autre, plus j'ai l'impression que j'ai gâché ma vie... C'est malsain comme boulot. On s'en sort, mais toujours avec une cicatrice, bousillée..." "L'argent, dit la troisième, c'est un petit peu de pouvoir... Mais, en fin de compte, ce n'est *rien...*" Et puis, cette phrase plutôt inattendue dans la bouche d'une prostituée : "Chaque nuit je rêvais que j'accouchais… Ce n'est pas normal de recevoir des sexes, comme ça, dans le ventre*."

Voici maintenant quelques phrases des filles interviewées par Carré : "Plus tu grandis, plus tu réalises… Et là, tu en souffres… Tu vois les blessures que ça laisse." "Quand on sait que sa mère fait ça, c'est une réalité qui ne fait pas de bien à entendre. Ça fait mal, quoi, à l'intérieur." "Je ne l'ai pas appris, je l'ai toujours su. Je n'ai appris que plus tard que ce n'était pas normal – parce qu'on ne pouvait pas en parler. Je lui demandais : «Comment tu fais pour ne pas te mettre à pleurer pendant que tu le fais ? Comment tu arrives à tenir le coup ?» Et elle me répondait : «J'essaie de penser à autre chose… au fric.»"

"Déjà le fait d'être un enfant, et de garder le secret de la vie complètement illégale de ta mère… La responsabilité de garder ça, c'est énorme, pour un enfant… Non, je ne peux pas dire que j'étais à l'aise vis-à-vis de ça. Tu ne peux pas être à l'aise. Je l'ai quand même accompagnée pour qu'elle bosse… Parfois elle me disait : «Attends, je reviens dans tant de temps, j'aurai tant de thunes…» Dans ces moments-là, j'étais super-mal… Tu ne dois pas penser à ce qu'elle est en train de faire en ce moment. Ne te mets pas d'images dans la tête, surtout. Sinon c'est affreux, tu fais une dépression tout de suite… A partir de là, j'ai préféré me débrouiller moi-même."

---

* Ce n'est pas sans rappeler cette prostituée bulgare qui témoigne dans le film de Claire Simon *Les Bureaux de Dieu* : une fois par an, toujours à la même époque, elle arrive dans les locaux du MLAC pour se faire avorter. C'est qu'elle passe une semaine par an avec l'homme dont elle est amoureuse. Pour que ce soit différent des clients, elle ne se protège pas… et se retrouve chaque fois enceinte.

"On ne peut pas dire à sa mère : «J'espère que tu mets bien des préservatifs !...» C'est sûr que ça m'a changée, dans mon caractère. Les jupes trop courtes, les décolletés trop plongeants, etc. – je ne mets pas tout ça. Pour ma sexualité à moi, propre, ce n'est pas génial. J'ai toujours peur de me concevoir comme un tapin. Je ne souhaite à personne la même expérience."

Quelques bribes de dialogue maintenant, entre ces mères et leur fille.

— T'as jamais eu honte de moi ?
— Non.
— *Merci.*
— Au contraire, je suis fière. C'était pour nous, pour qu'on puisse vivre, manger correctement.
— Les carnets de notes étaient surveillés. S'ils ne se levaient pas à l'heure...
— Quand on va dormir, maman n'est pas là... mais bon, on s'en est sortis.

— Comme maman est une femme très naturelle, on se demande pourquoi, le soir, elle se maquille, elle se coiffe, elle met des bas noirs, etc. A quatorze, quinze ans, je lui ai posé la question.
— De toute façon, elle m'a dit : "Ne t'inquiète pas, maman, tu es ma mère et tu resteras ma mère."
— On n'a qu'une mère, il vaut mieux la garder quoi qu'elle fasse. Il vaut mieux l'aider.

— Ce n'est pas si facile que ça, de dire la vérité.
— Quand le soir venait, et qu'elle devait prendre une douche, aller là-bas... Ça ne fait jamais du bien.

Parfois on lui disait : *"Maman, reste avec nous ! Ne va pas travailler !"* Mon petit frère a eu très mal. Il a pleuré. Il a dit : "Mais *pourquoi* maman fait ça ?" Il avait dix, onze ans. Pour un garçon, c'est encore plus difficile.

— Mon fils, comme je le connais, il n'ira jamais voir une femme prostituée. Parce qu'il a vu sa mère vivre ça.

Jean-Michel Carré nous permet aussi d'entendre les prostituées parler de *leur* enfance. L'une d'elles raconte que sa mère a eu cinq enfants et que, comme elle ne s'en sortait pas, ils ont été placés. "Dans ce milieu populaire, les garçons disaient à dix ans qu'ils allaient prendre la place de Monseigneur, et les filles, qu'elles allaient michetonner*. C'est comme ça, quoi. Tu étais d'accord parce que c'était comme ça. J'ai pensé que c'était plus facile de se prostituer que d'aller voler."

La mère d'une autre prostituée, abandonnée par son mari pendant sa grossesse, avait épousé un autre homme ; ce beau-père s'était avéré alcoolique, violent et, pour finir, incestueux. La jeune fille adore sa mère, mais (surtout depuis qu'elle est mère elle-même) ne comprend pas qu'elle ait laissé son mari faire ça. Mais "elle était obnubilée par ce type, qui la battait, en plus... Je me suis mariée juste pour fuir ma famille."

Cette femme victime d'inceste épousera... un proxénète. Et sa propre fille de dire en soupirant : "Mon père faisait travailler des filles... OK, c'est dégueulasse de faire ça, mais c'est mon père..." "Mon mari s'est fait tuer, dit la mère, et... j'ai essayé la came... Pendant ce temps, j'ai donné ma fille à ma

---

* On retrouve ici les figures du caïd et de la pute...

mère, il ne fallait pas qu'elle reste avec moi. Plus tard j'ai rencontré un homme dans une bonne situation, j'ai vécu huit ans avec lui et j'ai pu reprendre ma fille…"

Tout à fait à la fin du film, on apprend que deux de ces trois femmes sont séropositives et que l'une d'elles est déjà malade du sida.

— J'ai pris presque toutes les drogues qu'il y a sur la Terre. J'ai commencé l'héroïne quand j'étais rue Saint-Denis, pour avoir chaud… Je vis au jour le jour. De toute façon je n'ai pas d'avenir, je ne pense pas. Je ne veux pas que mes enfants vivent ce genre d'expérience, je n'accepterais pas, c'est sûr.

— Si un jour je devais le faire, intervient sa fille, songeuse…

— Non ! dit sa mère en la coupant. Il ne faut jamais le faire !

— S'il n'y avait que ça à faire, insiste la fille, je le ferais aussi.

Il faut voir le désespoir sur le visage de la mère quand sa fille prononce cette phrase-là. *"Non !"* répète-t-elle, d'une voix douce mais urgente. Et d'ajouter, alors qu'elle se sait condamnée à plus ou moins court terme : "Je m'occuperai de tes gosses !"

Service obligatoire ?

Tout en admettant que la prostitution existera toujours, on peut être écœuré par l'hypocrisie qui règne à son sujet dans nos sociétés. Il faudrait peut-être imaginer, sur le modèle de la *Modeste proposition* de Jonathan Swift au XVIIᵉ siècle (régler le problème du surpeuplement et celui de la famine en obligeant les pauvres à vendre leurs enfants comme viande sur pied), un service sexuel obligatoire pour les jeunes femmes.

Les prostituées remplissent une fonction indispensable ? Prenons-en acte. Ainsi, dans chaque pays, en arrivant à la majorité ou à la fin de leurs études secondaires, les filles passeraient-elles douze ou vingt-quatre mois "sous les drapeaux" comme putes, selon des modalités à déterminer au niveau ministériel tout comme cela se passe pour le service militaire des garçons. Le gouvernement les formerait pour ce service, tout comme il forme les garçons pour tuer, et leur fournirait l'uniforme et le maquillage de pute. Différentes filières seraient à leur disposition : certaines apprendraient à poser pour des photos pornos, d'autres à jouer dans des vidéos pornos, d'autres à attendre aux abords des bois de Boulogne ou de Vincennes, d'autres à tapiner dans la rue Saint-Denis ou sur le port de Marseille. Elles seraient futures cadres, futures P-DG, futures ouvrières et employées ; ainsi les femmes de tous les milieux se mélangeraient-elles et apprendraient-elles à se connaître ! Soins médicaux et frais de sécurité seraient pris en charge par l'Etat à 100 %. De manière facultative, les jeunes hommes pourraient eux aussi s'engager dans l'armée des putes, un peu comme les femmes deviennent soldates dans la France contemporaine. Certaines femmes, si elles le désiraient, pourraient être putes de carrière et, ce, jusqu'à l'âge de la retraite.

Cette solution présenterait deux avantages considérables : d'une part, elle éliminerait le mépris dont font l'objet les prostituées. Toutes les filles sauraient dès l'enfance que leur mère est passée par là et qu'elles-mêmes doivent y passer. Puisqu'il s'agirait de ma fille à moi, de votre fille à vous, des filles de tout le monde, les prostituées seraient ni plus ni moins dignes de respect que le commun des mortels. D'autre part, le service prostitutionnel obligatoire supprimerait la virginité et tous les fantasmes, superstitions, obsessions et mythes y attenant. Terminé, l'honneur des familles concentré dans une petite peau au fond du vagin d'une fillette ! Terminée, la pureté féminine ! La Vierge ne serait plus qu'un rôle parmi les mille rôles possibles, proposés à toutes les femmes lorsqu'elles débarquent dans le grand Théâtre du Sexe.

Certes, tout comme l'entraînement dans les marines, l'expérience serait duraille au début et les filles fragiles pourraient mal le vivre. D'autres, à coup sûr, y laisseraient la peau, mais – à la guerre comme à la guerre – l'armée n'admet-elle pas "11 % de pertes autorisées" ? Dans l'état actuel des choses, les prostituées meurent déjà bien plus souvent qu'à leur tour ; au moins, si elles mouraient pendant leur service, les gens s'en émouvraient-ils. Elles auraient droit à des funérailles nationales avec toutes les pompes de la République : drapeaux, trompettes, défilé, recueillement, discours solennels.

Maintenant que j'y pense : l'Arc de Triomphe ressemble bien plus à un sexe de femme qu'à un sexe d'homme. Ne devrait-on pas y entretenir en permanence une flamme à la mémoire de la Pute inconnue ?

XIV

PAUVRES HOMMES (AUSSI, PARFOIS)

*Les types, ils veulent tous être des rois,
de grands mecs, des vedettes... Ils ne
veulent pas mourir sans qu'on dise qu'ils
ont compté, qu'ils ont vraiment compté. Ils veulent graver leurs noms dans
le marbre, marquer leurs territoires.
Ils cherchent des femmes pour les marquer à vie... comme des chevaux. C'est
partout pareil, même ici. C'est général.
Un type mesure la puissance de sa bite
à l'influence qu'il a sur les autres...
Comme dans une meute de chiens, une
question de domination.*

OLIVIER BRUNHES

Cachez ce sein...

Vous avez cinquante-sept ans. En compagnie de
deux amis hommes, vous visitez Hébron, une des
villes palestiniennes les plus éprouvées par l'oc-
cupation israélienne. Censée contenir les tom-
beaux d'Abraham et de Sarah, la mosquée est
désormais partagée : la moitié de la semaine, les
habitants musulmans de la ville y prient, l'autre
moitié, les colons juifs. A côté du minaret se dresse
une tourelle couverte de camouflage où veillent,
jour et nuit, armés jusqu'aux dents, des soldats israéliens.

Aujourd'hui est jour d'islam. Vous vous êtes habillée en conséquence : pantalon noir bouffant, chaussettes, chaussures, chemise très couvrante à manches longues, foulard sur les cheveux. Aux abords de l'enceinte sacrée : un *checkpoint*. L'entrée de la mosquée est gardée elle aussi par des soldats israéliens munis de kalachnikovs. Vous faites passer vos sacs sous un détecteur… Et quand, ayant dépassé tous ces signes de méfiance et de haine, vous vous retrouvez au cœur du cœur du sacré, ce dont il s'agit est ceci : *les hommes sont affectés par la vue d'un corps de femme.* Un coup d'œil en votre direction, et le monsieur qui garde l'entrée des salles de prières se lève et s'adresse à vos amis, parlant de vous à la troisième personne : "Qu'elle se couvre, la dame. Son pantalon est trop transparent. On voit ses jambes." En fait il vous a à peine regardée ; il lui a suffi de constater que vous n'étiez pas un homme. Secouée, vous revêtez une des larges capes bleues à capuchon, prévues pour les touristes de sexe féminin.

Pour une femme dont la beauté se fane, dont les cheveux blanchissent, et qui, ménopausée depuis plusieurs années, est devenue à peu près invisible pour les hommes de sa propre culture, une femme qui a pris l'habitude, avec un soulagement certain mais parfois aussi un pincement de regret, de ne plus être interpellée, frôlée, bousculée, matée, palpée, dérangée par les hommes en raison de sa beauté, de ne plus être "captée" par tous ces yeux baladeurs qu'elle aimantait jadis bien malgré elle et qui la mettaient en colère, pour une femme comme vous, il est assurément déroutant d'être, en un clin d'œil, de façon vive et sans appel, réduite à son sexe.

Ce jour-là, pourtant, au lieu de vous réfugier dans la colère, vous enregistrez pour la première fois cette évidence : *notre corps les dérange, il les dérange vraiment.*

Quand les hommes essaient de se concentrer, la vue de notre corps réveille leur érotisme et les dérange. Pas seulement les musulmans, mais tous les hommes croyants un peu fervents redoutent cette distraction-là. Les jours où la mosquée d'Hébron se mue en synagogue, les femmes juives orthodoxes sont elles aussi tenues de se couvrir les épaules, les genoux et les cheveux et de prier dans une pièce à part, dissimulées à la vue des hommes.

Ce n'est pas réversible. Ce n'est pas symétrique. La vue d'un corps d'homme ne réveille pas contre leur gré la sexualité des femmes, pas le moins du monde. Si la salle de prière des femmes est plus petite que celle des hommes, et ses décorations moins élaborées, ce n'est pas seulement que les architectes, de sexe masculin eux-mêmes, ont fait leurs plans en songeant surtout aux hommes, c'est que les femmes ont moins besoin de lutter contre les distractions érotiques pour se concentrer sur leurs prières !

La femme canon

Mais il n'y a pas que dans les lieux sacrés que, de nos jours, les hommes sont "dérangés" par le corps des femmes. Dans les espaces publics en Occident, c'est presque pire que partout ailleurs car cette beauté s'affiche sans vergogne, se brandit sous leur nez… et leur dit *pas touche !*

En effet, depuis la démocratisation de la beauté, la majorité des femmes disposent enfin d'un peu de temps et d'argent à elles et peuvent "se saper pour tuer*". Cette agressivité féminine qui ne dit pas son nom, si ce n'est par le biais d'un nouvel adjectif ("canon"), est devenue monnaie courante

---

* Comme dit une jolie expression anglaise *(dressed to kill).*

dans la rue, les collèges, les facs et les entreprises du monde occidental. Au cours du dernier demi-siècle s'est produite une vraie révolution en la matière : quand j'étais à l'école primaire, les filles n'avaient pas le droit de porter à l'école une jupe arrivant au-dessus des genoux ; aujourd'hui elles vont en classe le ventre nu, ou les cuisses nues, ou le haut des fesses nu ; on voit des piercings dans les nombrils et des tatouages sur les mollets, on voit tout et n'importe quoi, et il n'est pas dit que les adolescents occidentaux se concentrent mieux que les petits talibans.

Devant ce phénomène-là, les féministes de ma génération ont tendance à se taire. On ne sait pas comment y réagir. Autant, dans les années 1970 ou 1980, on trouvait amusant de se faire une beauté avant d'aller dans nos réunions militantes, autant le déchaînement contemporain de la séduction féminine, qu'il faudrait être hypocrite pour décrire comme un pur effet de la manipulation masculine, nous laisse sans voix.

"Les hommes, écrit Pierre-Louis Colin dans une lettre au *Monde*, n'ont qu'à accepter avec gratitude les affolants spectacles qui leur sont parfois offerts." Il faudrait, ajoute-t-il, "reconnaître aux femmes le droit d'être jolies, voire sexy, et apprendre aux hommes à les regarder sans les agresser : ce sont des impératifs démocratiques*".

Vœu pieux, ou non, dans une société qui croule sous la pornographie ?

Qu'en pense H., mon ami peintre ?

---

* *Le Monde* du 28 mai 2011.

*

N. : Tu disais que tes élèves femmes s'habillent souvent de façon provocante ?

H. : Ouais, très souvent. Et alors. Qu'est-ce qu'on peut faire ? Moi j'essaie juste de rester neutre. Récemment j'ai invité un critique d'art à faire cours avec moi. Il y avait au premier rang une jeune Française en décolleté et, tu comprends... Tout en continuant de discourir sur les tableaux, tu ne peux t'empêcher de lorgner ses lolos. Mais j'ai assuré parce que, si tes yeux se baladent, les autres élèves s'en aperçoivent toujours. Après le cours, mon collègue m'a dit : "Mais mon Dieu, *comment faites-vous*? Vous avez vu cette femme... ?" Et j'ai répondu : "C'est comme quand t'es tout en haut d'une échelle et que t'as le vertige. Le truc c'est juste de *ne pas baisser le regard*, parce que si tu baisses le regard, tu tombes !" Il y a des professeurs, hommes, qui disent qu'elles devraient pas s'habiller comme ça. Moi, je me dis : Eh, tant pis, hein ? Si elles veulent s'habiller comme ça, pour moi c'est pas un problème ! Je tiens bon, ça va pas m'empêcher de faire cours."

*

Sans obligation de porter l'uniforme ni le tchador, les femmes occidentales sont "libres" de s'habiller comme elles le désirent, et elles ne s'en privent pas. De sacrées créatures débarquent dans les soirées, affichant une tenue qui leur a coûté une fortune, qu'elles ont mis des heures à se concocter, et dont le but clair et quasi exclusif (si l'on ne compte pas celui d'en mettre plein la vue aux autres femmes, leurs rivales) est d'attirer le regard et d'attiser le désir des hommes : les provoquer, les exciter, leur faire tourner la tête, les plonger dans un état de désir-délire afin d'en tirer quelque chose.

Qu'est-ce qui a provoqué ce changement spectaculaire dans l'apparence et le comportement des filles ? On évoque toujours l'impact de la publicité, des stars du cinéma, des magazines féminins... mais il est un autre facteur important qui, lui, est rarement mentionné : la pilule. Se généralisant à partir des années 1960, la contraception chimique a fait fondre comme neige au soleil la terreur ancestrale, chez les jeunes femmes, des grossesses hors mariage et des enfants illégitimes. La séduction s'éclate, s'étale, se libère à vue d'œil – et, dans le même mouvement, à une vitesse impressionnante, la maternité est effacée, oubliée.

Car en principe, la femme "canon" ne songe pas un seul instant à sa fécondité. Elle est convaincue de choisir de façon parfaitement spontanée ses produits de beauté, ses habits, ses accoutrements et son chirurgien du nez. Mais, si elle peut le faire sans que ses parents en deviennent fous d'inquiétude et sans que ses voisins la traitent de pute, c'est qu'elle avale une petite pilule chaque matin avec son jus d'orange, et trimbale dans son iPhone l'adresse d'une clinique d'IVG.

Grâce à la confiance que leur confèrent la contraception et l'avortement, les jeunes filles modernes peuvent se comporter comme jamais dans l'Histoire les femelles de l'espèce humaine ne se sont comportées.

Ainsi cette mode très contemporaine des *skins parties* (illégales mais de plus en plus populaires), où des centaines d'adolescents s'inscrivent sur Facebook et déboursent trente euros pour s'offrir une soirée de défoulement tous azimuts, dont l'acronyme SAD (sexe, alcool, drogues) dit la tristesse. Se rendant à Paris en train depuis leur pavillon de banlieue, les jeunes filles se préparent ensemble pour ces fêtes, se fardant et se coiffant les unes les autres comme des gamines, glissant leur corps à peine pubère dans des habits aussi flashy et provocants que possible, déchirant au rasoir leur collant… Puis elles y vont. La musique hurle à fond, l'alcool coule à flots, la drogue s'achète ouvertement et, toute la nuit, le seul mot d'ordre est de "briser les tabous". Dans les bas-fonds de ces caves louées clandestinement se trouve une *black room* ou salle noire, aux murs doublés de coussins, où tout est permis. Au petit matin, il ne reste plus qu'à constater les dégâts : dettes, vomissures et maux de tête, quand ce n'est pas maladies vénériennes et séquelles de viol.

Ou encore : quand une jeune femme va se marier, elle peut maintenant "enterrer sa vie de jeune fille" avec ses copines : vêtues de minijupes et de T-shirts hyper-moulants (dont un message sur le dos peut indiquer leur activité érotique préférée), elles s'enivrent et circulent en bande dans les rues des grandes villes, titubant, chantant à tue-tête, hurlant de rire, interpellant les passants, vomissant, faisant la foire. Protégées par le groupe, elles ne feront l'objet d'aucun harcèlement sexuel.

Ou encore : à l'automne 2011, des milliers de femmes dans soixante-dix villes du monde occidental ont participé à des *slut walks* (marches de pute), défilant en minijupe, talons aiguilles et décolleté pour revendiquer leur droit de s'habiller comme elles l'entendent.

En somme, à la question que pose le regard-désir des hommes, toujours en éveil dans l'espace

273

public, les femmes disposent désormais d'une panoplie de réponses possibles. Aux deux extrémités : les femmes voiiées qui se protègent avec un "non merci" et les adolescentes des *skins parties* qui lancent, casse-cou : "Servez-vous, c'est gratuit !" Entre les deux, nous autres femmes "émancipées" occidentales avons massivement opté pour la position de l'allumeuse : "Matez-moi tout votre saoul, ayez la gaule si vous voulez, mais ne vous avisez surtout pas d'y donner suite. Je connais mes droits, je coucherai si je veux, quand je veux, avec qui je veux, c'est moi qui décide !"

Comment s'étonner de ce que, déroutés ou découragés, tant d'hommes se tournent pour assouvir leur désir vers d'autres exutoires : les innombrables images de femmes consentantes sur Internet, ou les prostituées en chair et en os qui, contre paiement, s'allongeront en soupirant : "Viens, mon chéri" ?

La Ballade de l'impossible

Un roman récent de Haruki Murakami, *La Ballade de l'impossible*, évoque la sexualité masculine sur un ton d'un rare naturel.

Le héros, un adolescent du nom de Watanabe, est né loin de la capitale mais a été envoyé dans un foyer pour garçons à Tokyo. Au bout de quelques mois il se lie d'amitié avec un certain Nagasawa, qui lui fait découvrir le quartier (et les joies) des *love hotels**. Watanabe se met à les fréquenter le

---

* Dans les grandes villes du Japon, pays où la virginité n'a pas été sacralisée au même point que chez nous, il existe des *love hotels* où peuvent venir faire l'amour des couples illicites ou éphémères. La seule dépense d'argent, à peu près toujours prise en charge par le monsieur, est la location de la chambre.

week-end mais, dit-il, "je n'aimais pas tellement coucher avec des inconnues. (…) Je rentrais au foyer plein de désillusion et de dégoût vis-à-vis de moi-même. Le soleil m'éblouissait, j'avais la bouche pâteuse, et ma tête semblait appartenir à quelqu'un d'autre que moi" (57-58).

Son ami Nagasawa est conscient de ce que le sexe avec des inconnues est devenu chez lui un comportement addictif. "Il n'y a rien à gagner à coucher avec des filles qu'on ne connaît pas, avoue-t-il à Watanabe. On se fatigue vite, et on finit par se détester soi-même. C'est pareil pour moi, tu sais. – Alors, pourquoi est-ce que tu continues ? – C'est difficile à expliquer. Tu connais ce que Dostoïevski a écrit sur la passion du jeu, n'est-ce pas ? Eh bien, c'est la même chose. C'est-à-dire que quand on a plein de possibilités autour de soi, cela devient extrêmement difficile de ne pas en profiter. Est-ce que tu comprends ?"

Watanabe rencontre une jeune fille étrange du nom de Midori. Avec lenteur et délicatesse, un amour éclôt entre eux. "Midori me dit (…) qu'elle voulait absolument venir au moins une fois voir le foyer. Je lui dis que ce n'était pas amusant à voir. «Tu ne verrais que plusieurs centaines d'étudiants qui boivent et se masturbent dans des chambres sales. – Et toi, Watanabe, tu fais la même chose ? – Il n'existe personne qui ne le fasse pas, lui expliquai-je. Les filles ont leurs règles et les garçons se masturbent»" (103).

Autrefois, à lire cette dernière phrase ("Les filles ont leurs règles et les garçons se masturbent"), la féministe en moi aurait bondi. Ah ben c'est formidable, ça ! Nous c'est les tracas, les crampes et la déprime ; eux c'est l'excitation et l'orgasme ! Aujourd'hui je vois la chose différemment. En effet, c'est ainsi que, dans notre espèce depuis toujours, chaque sexe se débarrasse de ce qui n'a pas été utilisé pour la reproduction : la femme de ses ovules, et l'homme, de ses spermatozoïdes.

Cette idée perturbe la jeune Midori. Plusieurs mois plus tard, elle questionne à nouveau Watanabe : "Tu penses que tous ceux qui vivent ici se masturbent ? (…). – Sans doute. – Les garçons le font en pensant aux filles ? – Peut-être bien que oui. Cela m'étonnerait qu'il y ait des garçons qui le fassent en pensant au marché des changes, aux conjugaisons ou au canal de Suez. Je crois qu'en général ils pensent à des filles. – Le canal de Suez ? – Pour citer un exemple. – Tu veux dire qu'ils pensent à une fille déterminée ? (…) – Oui" (270).

Nagasawa a lui aussi une petite amie, Hatsumi, et celle-ci a autant de mal que Midori à croire que les hommes puissent réellement fonctionner différemment que les femmes. Avec fermeté, Nagasawa lui explique. "Tu n'as aucune idée de ce que peut être le désir d'un homme (…). Par exemple, cela fait trois ans que je sors avec toi, et pourtant, pendant ce temps-là, j'ai couché avec pas mal d'autres filles. Et je ne me souviens d'aucune d'entre elles. Je ne connais pas leur nom, et je ne me souviens même pas de leur visage. Je n'ai couché qu'une seule fois avec chacune d'elles. On s'est rencontrés, on a fait l'amour et on s'est séparés. C'est tout. En quoi est-ce que ce serait répréhensible ? (…) – Cela me blesse, dit Hatsumi. Pourquoi est-ce que je ne te suffis pas ? (…) – Ce n'est pas que tu ne me suffises pas. Il s'agit de quelque chose de complètement différent. C'est comme s'il y avait en moi une espèce de soif qui ne pouvait être apaisée que par ce genre de chose. Et je suis vraiment désolé si cela te blesse. Je n'ai jamais dit que tu ne me suffisais pas. Mais je suis bien forcé de vivre avec cette soif, elle fait partie de moi. Ce n'est pas possible autrement, tu comprends" (320-321).

Les hommes sont bien forcés de vivre avec cette soif. Elle fait partie d'eux ; ce n'est pas possible autrement. De nos jours il y a ceux qui, par cynisme mercantile, tirent un profit financier de cette soif et celles qui, par réflexe égalitariste, la dénoncent. Est-il possible de simplement la *comprendre* ?

"C'est plus inspirant s'il y a de l'intelligence que juste un corps, c'est sûr, disent les musiciens du *Mâle entendu*. Juste un corps, on sait que ce sera «à consommer», et ça donne envie de le consommer «comme ça» …" "Ce qui est marrant, c'est que c'est un pur objet de consommation et on a bien conscience qu'il ne s'agit que de ça." "C'est un peu violent." "Ce n'est pas du tout un idéal. On n'a pas envie que de ça." "C'est même très lassant…"

Beaucoup plus que les femmes, les hommes aiment baiser pour baiser – et ce, depuis la nuit des temps. *Ce n'est pas leur faute mais c'est parfois à nos dépens* : y a-t-il moyen de tenir compte de ces deux faits en même temps, lucidement ?

La bonne distance

Une des choses qui pourrait aider, c'est l'implication croissante des hommes dans la paternité.

Le peintre H. confirme : "Ça m'a fait du bien d'avoir une fille et d'entendre ses commentaires. Elle rentrait à la maison : «Berk, il y avait un vieux qui me matait dans le métro…» et je disais : «Ah bon ? Quel âge ? – Comme toi !» Ça m'a fait un drôle d'effet…"

R., ami cinéaste qui fut un "tombeur" notoire dans sa jeunesse, me parle avec effarement de l'emploi qu'a récemment trouvé sa petite-fille dans la ville de Québec : serveuse dans un bar, elle doit porter un T-shirt sans soutien-gorge et accepter que les clients aspergent sa poitrine de bière quand ça leur chante...

Antoine, trente-neuf ans, raconte les hésitations et les doutes soulevés en lui par la puberté de sa fille : "J'ai imaginé que ma fille allait désormais refuser les contacts physiques alors qu'on a toujours été très câlins tous les deux. Mais ce n'est pas du tout ce qui se passe. En fait, ma fille recherche toujours mon contact, elle se serre contre moi, elle a toujours autant besoin de mon affection. Mais comment s'y prendre ? Ce qui est affreux pour un père, c'est que la seule limite qu'on a en tête, celle qui est identifiée, repérée, c'est la pédophilie. Pour le reste, il faut inventer. Je me surveille beaucoup, je me mets en garde*."

Est-il si difficile que cela de trouver la bonne distance ? Je suis convaincue que les clients qui font l'amour avec des prostituées de l'âge de leur fille ne se sont pas beaucoup occupés de leur fille, et qu'en réalité, *le père incestueux rejoint le père absent* : tous deux ont échoué à prendre leur place de père. Or la plupart des petites filles vouent à leur père une véritable adoration ; il est essentiel qu'au long de leur enfance et de leur adolescence elles se sentent soutenues par un amour qui, s'il passe par la tendresse physique, exclut la sexualité. C'est à cette aune qu'elles pourront mesurer, plus tard, les bonnes et les mauvaises distances par rapport aux hommes.

D'après de récentes observations scientifiques, quand un homme devient père ses taux de testostérone baissent. Cela suggère que les hommes sont

* *Libération* du 20 juillet 2011.

programmés pour s'occuper de leur progéniture, et que *c'est plutôt le culte de la violence qui est anti-naturel...* Le viol n'est nullement un retour à l'animalité, à la "nature" profonde de l'homme, puisque la nature humaine est de vivre avec et devant les autres, d'être pris dans un réseau de liens étroitement tissés. Les hommes ne violent ou ne commettent l'inceste que lorsqu'ils se sont gravement égarés dans leurs liens "verticaux" (à leurs parents et leurs enfants), et n'ont plus pour se soutenir que les liens "horizontaux" (aux autres hommes de leur groupe d'âge).

Ceux qui ne se sentent appartenir à aucune famille, à aucune société, à aucune nation, auront tendance à se raccrocher à leur seule identité évidente : leur genre. A Berlin en 1945, trois cent mille Allemandes ont été violées par les soldats russes bousillés par des années de faim, de peur, d'horreur et de fatigue. Dans la guerre civile en RDC aujourd'hui, ce sont des bandes de jeunes miliciens rwandais et burundais aux abois, loin de leur famille et de leur pays, sans espoir de les retrouver un jour, qui violent des Congolaises par centaines de milliers. Mais point n'est besoin de recourir à des exemples aussi exotiques : c'est aussi ce qui se passe, ici et maintenant, dans les tournantes. A la télévision câblée et sur le Net, à longueur de journée, les gamins désocialisés apprennent qu'"être homme" c'est imposer à une femme des relations sexuelles ; à défaut d'autres certitudes rassurantes, ils s'accrochent à celle-là.

Hélas ! la plupart d'entre nous ne voyons aucune contradiction entre le fait de dénoncer (avec indignation) les tournantes et celui de défendre (avec courage) la liberté d'expression des pornographes, dont l'énoncé de base est que la femme est faite pour se soumettre au désir de l'homme.

Vers une nouvelle théorie du machisme

Au sujet d'un autre cliché concernant le masculin – "Un homme n'a pas de doutes" – mes amis du *Mâle entendu* ont dit une chose qui m'a donné à réfléchir.

"C'est lié au rôle de l'homme. Il *doit* séduire une femme." "Ah ! le rapport au *devoir*, c'est intéressant ! Même si c'est une femme belle qui s'intéresse à toi, il y a la notion de *devoir*, c'est vrai, qui entre en jeu." "Je peux ne pas avoir de désir, mais je me dis : «Vas-y, sinon, t'es pas un homme.» A ses yeux, et à mes yeux aussi. C'est pour me rassurer aussi." "C'est le rapport au sexe, à l'érection… à la prise de décision, à l'action." "On *veut* correspondre à ça : être celui qui prend des décisions, qui agit, domine la situation, n'a pas de doutes, pas d'états d'âme."

Ces quelques phrases m'ont amenée à postuler l'existence d'une cause insoupçonnée du machisme. Cause partielle, certes, mais peut-être importante. Si elle reste insoupçonnée, c'est qu'elle est liée à notre capacité fabulatrice, qui, comme Zorro, a le don de se rendre invisible.

Voici mon hypothèse : si elle n'est pas aussitôt "verrouillée" par l'inhibition, *l'érection peut induire chez l'homme l'idée d'une prise de décision*. Son corps a une réaction réflexe à un stimulus, et, en raison du besoin humain de tout percevoir comme le résultat d'une intention, même là où il n'y en a aucune, l'individu interprète son élan spontané comme un acte de sa volonté. Je bande, donc je désire. Je bande, donc je désire, donc j'ai pris une décision : celle de baiser. Je suis une décision vivante, un homme qui bande, veut, avance et prend. C'est ça, être homme, disent mes amis musiciens : "C'est le rapport au sexe, à l'érection… à la prise de décision, à l'action."

Je répète : la bandaison, mouvement physiologique involontaire, peut induire en l'homme l'idée qu'il a décidé d'agir. En toute bonne foi, le réflexe peut être interprété par le cerveau comme un choix. Je ne dénonce rien, ici ; je décris simplement, chez le mâle de notre espèce, le possible résultat *humain* d'une fonction *animale* : l'homme peut réagir à un mouvement réflexe (érection) comme s'il était un choix (décision), et le transformer du coup en une commande (passage à l'acte).

Ce que l'on peut dénoncer, dans un deuxième temps, ce n'est pas l'homme qui bande et désire, mais le cynisme et l'hypocrisie d'une société, la nôtre, qui, tout en se gargarisant de ses idéaux officiels (Liberté, Egalité, Fraternité), transforme cyniquement nos penchants innés en dépendance pour en tirer des profits faramineux.

XV

AU-DELÀ DU MIROIR…

Il y a un problème de la femme, il y a réellement un grave problème de la femme, nous sommes engagées dans un dur chemin, nous autres femmes extérieurement émancipées, je suis curieuse de voir où il mène.

ETTY HILLESUM

Jardins de la Citadelle

Mexico, un samedi de décembre 2010. La journée tire à sa fin. Seule, curieuse, errant dans le centre-ville de cette mégapole où vous n'êtes pas venue depuis trente ans (beaucoup plus libre d'errer seule maintenant qu'il y a trente ans), vous débouchez dans les jardins de la Citadelle et tombez sur une scène étonnante : en des bals improvisés, accompagnés de petits orchestres installés çà et là à travers le jardin, dansent plusieurs centaines de couples d'âge mûr.

Age mûr ? oh ! même si vous avez un peu de mal à l'admettre, et même si, en moyenne, ils "font" plus (à votre avis, à votre humble avis, naturellement), ils ont le vôtre, d'âge : la cinquantaine finissante. Sans doute votre corps est-il moins cabossé que le leur, plus entraîné et musclé par des cours de gym et de yoga ; sans doute la peau de votre visage est-elle plus lisse que la leur, grâce à l'application assidue de crèmes ; sans doute vos habits proviennent-ils de boutiques un peu plus chics que les leurs et vos chaussures ont-elles avalé moins de kilomètres sur le macadam : voilà ce qui vous donne ce sentiment commode et flatteur d'être plus jeune que la plupart de ces danseurs amateurs, alors que vous ne l'êtes pas.

Ce qui vous frappe, tandis que vous traversez les jardins de la Citadelle en vous arrêtant souvent pour observer ces groupes de séniors dansants, c'est l'ambiance bon enfant de l'événement (qui, vous le devinez, a lieu tous les samedis soir et constitue un non-événement aux yeux des Mexicains). Les couples prennent assurément du plaisir à danser mais ils ne le montrent pas trop : ne se regardent pas dans les yeux, ne se font pas de caresses vicieuses entre deux *paso doble*. Les femmes ne rejettent pas leur chevelure en arrière, n'éclatent pas de rire, ne tournoient pas à toute vitesse, faisant tourbillonner jupes et foulards ; les hommes ne roulent pas les mécaniques, ne serrent pas possessivement leur partenaire contre eux, ne bombent pas le torse... Non, tout cela reste très pépère. Les pieds suivent les rythmes des tambours et des guitares, les yeux s'évitent, et, aux lèvres, les sourires sont tenaces mais timides.

Rien à voir avec les scènes qui se dérouleront quelques heures plus tard, ce même samedi soir, dans les boîtes de nuit de Mexico comme dans celles de toutes les grandes villes du monde : musiques assourdissantes, danses aux rythmes effrénés, maquillages outranciers, chairs dénudées, lumières stroboscopiques pulsant, corps se frottant, se cherchant, s'envoyant mille messages, ambiance clairement et violemment sexuelle.

Qu'est-ce qui fait la différence entre les jardins de la Citadelle et les boîtes de nuit ? C'est simple : les femmes qui dansent à la Citadelle sont, comme vous, ménopausées. Pour elles comme pour vous, les dangers et les risques de la beauté sont révolus. Si elles ont de la chance, il se sera produit pour elles le même miracle que pour vous : elles auront découvert, à leur grand étonnement, que ceux qui les aimaient (à la différence de ceux qui ne faisaient que les désirer) ont continué de les aimer même quand elles étaient malades, ou quand la grossesse a déformé leur corps, ou quand leurs cheveux ont blanchi... et continueront de les aimer, s'ils sont encore dans les parages, quand elles seront très, très vieilles !

Les couples d'âge mûr n'éprouvent pas forcément de la nostalgie pour l'époque de leur jeunesse, quand flirter, draguer, embrasser et faire l'amour pouvait être lourd de conséquences et s'accompagnait, du coup, d'un frisson de danger. Après la disparition des risques liés aux hormones, ils éprouvent encore du désir, de l'amour, voire de la passion... mais le soufre du meurtre ne flotte plus dans l'air. Dans la cinquantaine, un homme est moins prêt à tuer ou à mourir pour l'amour d'une femme, moins prêt à battre ou à poignarder son épouse pour ses infidélités. Les cartes génétiques, lancées en l'air lors des folles fêtes de la jeunesse, sont retombées par paires. Il y a eu mariages, naissances, divorces et remariages, les couples se sont faits et défaits, leur histoire est pour l'essentiel écrite, et leur fécondité terminée ; ils peuvent se trémousser tranquillement à la Citadelle, car la violence a repris ailleurs. Ce sont désormais leurs enfants, jeunes adultes dans les boîtes de nuit, qui dansent et draguent, rient et crient, se saoulent et se cherchent, se frottent et défient la mort.

Beauté et sucre

Revenons un peu sur nos pas.

D'après les évolutionnistes, la beauté des femmes est comme le sucre dans le fruit : pas utile en soi, mais très utile pour susciter le désir de ce qui le contient, lequel désir contribuera à la survie de l'espèce, homme ou pomme. Mais l'une des grandes spécialités humaines, pour le meilleur et pour le pire, consiste à détacher un élément de son contexte pour en faire une "chose" à part. Peuvent ensuite s'élaborer autour de cette "chose", indépendamment de sa fonction originelle, une pléthore de comportements culturels. Des comportements addictifs, par exemple, avec des résultats nocifs voire fatals, c'est-à-dire *contraires* à la survie de l'espèce.

C'est ce qui se passe avec le sucre justement, substance indispensable à la survie du corps humain mais qui, extrait des produits naturels dans lesquels il se trouvait en petite quantité, valorisé et fabriqué pour lui-même, consommé à haute dose, est responsable chaque année de milliers de cas d'obésité et d'un nombre croissant de victimes du diabète.

Ou la violence, dont l'utilité chez les gorilles est évidente mais qui devient, chez l'homme, culte de la violence, religion cinématographique de la violence, exaltation des comportements machistes et ultra-virils aux effets désastreux : guerres mondiales, génocides, viols collectifs, massacres.

Ou encore la beauté féminine qui, réifiée en Occident dans l'industrie de la mode et des produits de beauté, mais aussi dans la prolifération effrénée et addictive de la pornographie, a elle aussi des effets de plus en plus délétères, *tant pour les femmes que pour les hommes.*

Intelligent design *à la française*

La "théorie du genre" sous sa forme extrême, celle qui considère l'identité biologique comme quantité négligeable, est désormais idéologie officielle en France. Huit ans après la création d'Efigies, un réseau de jeunes chercheurs spécialistes de cette discipline, l'Institut d'études politiques vient de lui consacrer une chaire. Le ministère de l'Education a récemment pris une décision de taille en la matière : la théorie du genre doit être enseignée dans tous les lycées publics. Ainsi, à partir de la rentrée scolaire 2011, certains élèves de première pouvaient-ils lire dans leur manuel de SVT (sciences de la vie et de la terre) la phrase suivante : "On ne naît pas homme ou femme, on le devient en fonction d'un choix personnel."

Au moins, aux Etats-Unis, les efforts déployés pour faire entrer l'*intelligent design* dans les programmes scolaires – pour exiger, en d'autres termes, que la "théorie" de la Création soit enseignée comme une alternative plausible à celle de l'évolution – ont-ils échoué ! Autre différence : pour les Français, contrairement aux Etats-Uniens, ce n'est pas Dieu qui décide de tout mais l'individu, orgueil suprême du pays des Lumières.

Le manuel des éditions Belin explique péniblement que "chez l'homme [*sic,* pourquoi faire clair quand on peut faire confus ?], il existe deux aspects complémentaires de la sexualité : l'identité sexuelle, qui correspond au genre (masculin ou féminin) et relève de l'espace social, et l'orientation sexuelle, qui relève de l'intimité de la personne." On lit, on relit, on ne s'est pas trompé ; il y a d'une part "l'espace social", d'autre part "l'intimité" ; les données biologiques sont passées à la trappe.

Hachette fait un peu mieux : "Le sexe biologique nous identifie mâle ou femelle mais ce n'est pas pour autant que nous pouvons nous qualifier de masculin ou de féminin." C'est sympathique mais faux, car notre cerveau baigne dans un milieu chimique et hormonal qui le prédispose à certains goûts, penchants et préférences ; la société peut infléchir, modérer et contenir ces tendances ; il n'en reste pas moins que, chez *Homo sapiens* comme chez les chimpanzés, il y a deux sexes ; pas un et pas trente-six. Malheureusement, comme "la construction est de gauche", les seuls à oser s'élever contre ce galimatias sont certains députés UMP et des représentants de l'Eglise catholique.

On a vu les raisons pour lesquelles, après les horreurs du nazisme avec ses théories racistes et son eugénisme, les anthropologues français (et, à leur suite, le "public cultivé") ont rejeté toute notion de différences innées entre les humains. Sous prétexte qu'au nom de "la nature" et des "différences naturelles" on avait pu opprimer les femmes ("naturellement mères"), les Noirs ("naturellement stupides"), les juifs ("naturellement retors"), et ainsi de suite, bien de nos penseurs contemporains rejettent l'idée même de nature et cherchent à nous faire accroire que les êtres humains n'ont aucune nature d'aucune sorte, rien à voir avec la nature, ne sont en fait pas des animaux du tout mais des entités purement culturelles, qui se créent elles-mêmes par un effort de leur volonté. Selon le dogme contemporain de la plasticité, tout est variable de culture en culture, tout est question de code, de contrainte et de construction.

Or la nature existe et, même si nous avons énormément de liberté et de talent pour la retravailler, jusqu'à nouvel ordre *nous en faisons partie*. Bien au-delà de la question de la différence sexuelle, cette attitude anti-écologique – qui postule une disparité radicale entre l'être humain et le monde matériel qui l'entoure, c'est-à-dire en réalité une *supériorité* de l'être humain sur le monde – est en train de nous tuer.

Maternité sans reflet

Depuis les années 1960, la contraception s'est généralisée et l'avortement s'est légalisé dans la plupart des pays occidentaux ; du coup, la maternité n'est plus la destinée féminine quasi incontournable qu'elle était depuis la nuit des temps. C'est un progrès incontestable ! Mais nos images ne se contentent pas de *dissocier* féminité et maternité, elles *oblitèrent* celle-ci parce qu'elle est incompatible avec l'idéal occidental de "l'individu autonome".

Or, dès la conception d'un enfant dans son giron, une femme n'est plus un simple individu, puisqu'elle en contient un autre ; et cet "autre" – embryon, puis fœtus, puis bébé – est entièrement dépendant d'elle pour sa survie. Comme nous ne voyons pas comment concilier la vulnérabilité et la dépendance des humains (pas seulement les bébés, *tous* les humains) avec nos revendications politiques d'autonomie, nous avons décidé de faire comme si cette faiblesse intrinsèque n'existait pas.

Ainsi, alors que l'immense majorité des femmes deviennent encore mères, notre culture ne leur propose aucune image dans laquelle se refléter telles. Elle les somme au contraire de faire comme si cette éventualité n'était qu'un détail, un petit accident de parcours, vite résorbable. La grossesse n'est plus du tout un "état intéressant" et ses conséquences le sont encore moins ; logiquement, les femmes n'ont de cesse que d'effacer de leur corps toute trace de ce chamboulement, de retrouver leur ligne, leur beauté et leur "indépendance".

D'où : culpabilisation massive des jeunes mères contemporaines. Car, malgré la péridurale, le lait en poudre et leurs responsabilités dans le monde du travail, la plupart d'entre elles continuent de se sentir tour à tour bouleversées, effrayées, déprimées, exaltées, ahuries, bref, *concernées en profondeur* par cette affaire-là, et elles n'ont aucune glace où se mirer. Dans la peinture, la sculpture et la photographie contemporaines, dans les défilés de mode, les magazines, sur Internet : zéro suggestion que la beauté d'une femme puisse être parfois liée à sa fécondité.

Je sais que l'on me comprendra mal, que l'on m'accusera de prôner un "retour à la Nature" et de vouloir cantonner les femmes dans leur rôle de mère. On adore raisonner par oppositions simples et binaires – *ou bien... ou bien* – et déduire hâtivement que, si quelqu'un ne pense pas ceci, il pense forcément cela. Je ne dis ni que la maternité est admirable ni qu'elle est oppressante, et n'ai nulle envie de joindre ma voix à celles qui s'écharpent sur le thème de l'"instinct maternel" ; comme toute activité humaine, la maternité est complexe, multiple et contradictoire. Je fais simplement remarquer que, comme par hasard, *on a éliminé de l'ensemble des imageries de l'Occident moderne l'unique singularité irréductible de la femme par rapport à l'homme.* On y a tellement bien réussi qu'on n'est même pas conscient de l'avoir fait.

Plus ça change...

Ces dernières années, les différents voiles islamiques ont fait couler énormément d'encre : dans le spectre des choix de société vis-à-vis de la beauté féminine, ils représentent un extrême que nous prenons plaisir à dénoncer parce qu'il n'est pas le nôtre. Nous hochons la tête d'un air condescendant en constatant que, chez les musulmans intégristes*, la peur du désir est telle, le refoulement de la sexualité est tel, que tout corps de femme doit être repéré et rejeté, tenu à distance. A l'autre extrémité du spectre, chez nous, les femmes peuvent théoriquement s'habiller comme elles le désirent – et, grâce à Dieu (ou plutôt à la mort de Dieu et à l'avènement de la société laïque), les hommes les laisseront tranquilles.

A en juger par les statistiques portant sur le viol, les violences conjugales, le harcèlement sexuel, la prostitution et la pornographie, notre réalité est assez loin de notre théorie. Mais on a du mal à voir notre aliénation à nous, et à la dire, et surtout à la comprendre, parce que, malgré les milliards d'images de la beauté féminine que consomment dans nos sociétés hommes et femmes, nous avons embrassé une idéologie unisexe !

Nous autres femmes de l'Ouest sommes donc libres, égales et "frères" avec les hommes, ce qui ne nous empêche pas de vouloir être belles et d'avoir bien intériorisé l'injonction de montrer notre corps au lieu de le dissimuler. Ainsi nous échinons-nous du matin au soir à être belles et égales en même temps, ce qui n'est pas évident, surtout quand on a des enfants, et un emploi à plein temps, et le ménage à faire, et les courses, et la cuisine, du coup on dort mal, on a des cernes, il faut acheter des onguents anticernes pour les dissimuler, et des crèmes spéciales "contour des yeux"…

---

* Et les juifs intégristes aussi, donc – mais cela, étrangement, on le relève moins souvent…

C'est le beau paradoxe du "plus sujet et plus objet" : dans la société occidentale depuis plus d'un siècle, sous l'influence de cette drogue hallucinogène qui a pour nom l'Image, la liberté de la femme lui permet non seulement de travailler, de voter, de gérer son compte en banque et de programmer ses maternités, mais de se recouvrir de ce que Nelly Arcan appelle une "burqa de chair" et de s'enfermer de son propre gré dans ce que Fatema Mernissi appelle le "harem de la taille 38".

Ça se travaille

Il n'y a pas que des rôles.

Regarder les femmes, pour un homme, ce n'est pas qu'un rôle.

Porter un enfant, pour une femme, ce n'est pas qu'un rôle.

Que les *modalités* de ces comportements soient socialement formées ne les empêche pas d'être enracinés dans la biologie. La nature est amorale, hors morale ; les inégalités de toutes sortes y pullulent, et donc les "injustices" aussi. Hommes et femmes ne sont pas faits pour s'entendre ; ils ne sont pas "faits" du tout ; ils ont évolué, comme les mâles et femelles des autres espèces de primates, pour se reproduire. Il est probable que, quoi que nous fassions, ils n'auront jamais les mêmes désirs sexuels.

Mais *il y a de ça* n'équivaut pas à *il n'y a que ça* ; dire que les comportements "machistes" sont en partie biologiquement déterminés n'est pas dire qu'il faille baisser les bras devant le sexisme. La solution que nous avons choisie pour l'instant – rejet de l'idée même de la différence, déclaration fière de l'égalité des femmes, accompagnée d'une minoration de leur fécondité et d'une objectivation galopante de leur beauté – implique que soit sacrifiée, au désir masculin "sauvage" ainsi suscité, une fraction non négligeable de chaque génération de jeunes femmes. C'est ce que nous faisons, et il est logique que les *mêmes* théoricien(ne)s défendent, d'une part, l'indifférence des sexes et, de l'autre, la perception de la prostitution comme un métier banal.

Au long de l'histoire humaine, les sociétés ont eu tendance à *réifier* les différences sexuelles innées par des rituels et des lois. Notoirement, elles ont empêché les femmes d'accéder à de nombreux métiers, activités et formations, et fortement dissuadé les hommes de s'occuper des enfants en bas âge. Cela a eu pour effet non seulement d'entériner mais d'*exacerber* les traits psychologiques propres à chaque sexe. Tout cela peut et doit être rebricolé en permanence ; comment ne pas être d'accord ? Personne n'a envie, sous prétexte que ce serait plus "naturel", de mettre fin à l'idée de la dignité humaine et de revenir au *statu quo ante* de nos ancêtres chasseurs-cueilleurs.

On naît bel et bien fille ou garçon, et ensuite... ça se travaille ! Les rôles que nous jouons dans le théâtre sexuel ont pu être assouplis grâce au mouvement des femmes ; grâce à la contraception et à l'avortement, qui ont permis l'entrée massive des femmes dans le monde du travail ; grâce, aussi, dans certains pays, aux congés parentaux pour les pères. Mais pour atteindre à quelque chose comme une vraie entente entre les sexes, il faudrait cesser de percevoir comme "universels" les comportements masculins (multiplication des partenaires sexuels, survalorisation de la puissance, de la concurrence, de la solitude et de l'autonomie), et de passer sous silence le fait que ce sont les mâles de notre espèce qui, de façon prépondérante, font la guerre, les films et les jeux vidéo, dirigent les banques, les entreprises et les gouvernements... et sont les acteurs exclusifs de 90 % de nos actualités.

Un dessin genre Epinal datant de 1906 montre *Les Ages de la femme*. A la différence de l'homme dans ce type d'image, qui apparaît seul à chaque étape de son existence – garçonnet, adolescent, homme fait, vieillard –, la femme est montrée presque toujours en compagnie : un ange très maternel la met au monde ; un soupirant la demande en mariage ; près de son mari elle s'émerveille du bébé dans ses bras ; à quarante ans elle bénit le mariage de ses enfants et, à cinquante, se réjouit de la naissance de son premier petit-enfant ; vieille, elle s'appuie sur un petit-fils adulte ; après la mort, c'est encore un ange qui lui montre le chemin du paradis.

Or cette interdépendance n'est ni révolue, ni une spécificité féminine, elle est simplement la vérité de l'humain. A chaque instant de notre vie, nous sommes pris dans des relations aux autres ; formés, déformés et transformés par elles. Il aurait fallu que les hommes réussissent à le reconnaître, que les femmes leur en fassent la démonstration répétée, éclatante... au lieu de quoi, hypnotisées par les représentations dominantes, elles ont embrassé comme un seul homme, comme un homme seul, le mensonge orgueilleux et romantique de l'autosuffisance.

En d'autres termes, on doit certes faire tout ce qui est en notre pouvoir pour atténuer certaines différences entre les sexes ; mais, pour y parvenir, il faudrait *mettre les hommes à l'école des femmes et pas seulement l'inverse.*

Et puis… il n'y a pas que les lois et les luttes, le militantisme, les bagarres, les droits arrachés, les victoires dans les statistiques. Au cours du XXe siècle sont advenues en Occident – c'est l'un des acquis les plus importants de l'émancipation féminine – de nouvelles formes d'interaction entre les sexes : l'amitié, la solidarité, la complicité dans le travail, la coopération à l'école… Ces rapports-là ne peuvent être légiférés, mais sont également susceptibles d'évoluer de manière créatrice.

Plus il y a de jeu dans cette affaire, mieux cela vaudra. Si nous autres femmes lâchons du lest aussi, si nous cessons d'opprimer et de brimer nos petits garçons, si nous n'obligeons pas tout le temps les hommes à être forts, si nous ne jouons pas sur tous les tableaux…, les rapports sexuels peuvent se modifier en profondeur. Il y a tout à parier que, plus il y aura de mères sexy et séduisantes, moins il y aura de filles violées et prostituées. Et que, plus les pères participeront aux soins des enfants en bas âge, moins il y aura de machisme.

Il va sans dire que les rôles sexuels ont plus de chances d'être souples chez les "modernes" que chez les "anciens". Mais nous aurions tort de nous féliciter trop vite, et de montrer du doigt "les autres" avec trop de complaisance. Nous autres Occidentales incarnons bien moins que nous ne le pensons, dans notre arrogance naturelle et candide, *la femme libre ou libérée*. Nous sommes fières à juste titre des progrès politiques réalisés vers l'égalité des sexes, mais oublions qu'ils se sont accompagnés d'un mouvement spectaculaire en sens contraire : une propagande envahissante et double, visant ici les hommes, là les femmes, qui nous dérobe notre pouvoir reproducteur et nous somme de veiller en permanence à notre pouvoir séducteur. L'industrie de la pornographie et celle de la beauté font des profits faramineux en diffusant pour leur public respectif des images qui charcutent, compriment, décorent, contiennent, exhibent, lacèrent, punissent, badigeonnent, dessinent, redessinent, mutilent, triturent et tringlent à l'infini des corps de femmes stériles... diffusant et renforçant *ad vitam æternam*, de façon hilarante si l'on est martien, deux idéaux antinomiques : le mannequin et la putain.

Aucune Occidentale ne peut prétendre avoir mené son existence à l'abri de cette propagande qui fait de nous toutes, à des degrés variables selon notre âge, notre milieu social et notre métier, avec notre coopération enthousiaste ou à notre corps défendant, des *reflets dans un œil d'homme*.

BIBLIOGRAPHIE

Certaines références ici indiquées n'ont pas fait l'objet de citations, mais font partie des sources ayant étayé le propos de Nancy Huston.

ANONYME, *Une femme à Berlin. Journal 20 avril-22 juin 1945*, Gallimard, coll. "Témoins", 2006. *(P. 117-118.)*

ARCAN Nelly, *Putain*, © Editions du Seuil, 2001 ; "Points", 2002. *(P. 11, 51, 217, 226, 228-229, 250-251.)*

– *Folle*, © Editions du Seuil, 2004 ; "Points", 2005. *(P. 226-229, 236, 251.)*

– *A ciel ouvert*, © Editions du Seuil, 2007. *(P. 232, 251-252)*

– *Paradis, clef en main*, Coups de tête, 2009.

– *Burqa de chair*, © Editions du Seuil, 2011. *(P. 41, 49, 59, 205, 294.)*

BADINTER Elisabeth, *L'un est l'autre. Des relations entre hommes et femmes*, Odile Jacob, 2002.

– *Fausse route. Réflexions sur trente années de féminisme*, Odile Jacob, 2003. *(P. 227.)*

– *Le Conflit : la femme et la mère*, Flammarion, 2009.

BAECQUE Antoine de, "Ecrans : le corps au cinéma", in *Histoire du corps, 3 : Les Mutations du regard. Le XXᵉ siècle*, sous la direction de Jean-Jacques Courtine, Points Seuil, 2006. *(P. 141.)*

BAUDRILLARD Jean, *La Société de consommation*, © Editions Denoël, 1970 ; Folio Gallimard, 1986. *(P. 150.)*

BELLIL Samira, *Dans l'enfer des tournantes*, © Editions Denoël, 2002. *(P. 65)*

BERGER John, *Ways of Seeing*, BBC & Penguin Books, Londres, 1972 ; trad. fr. *Voir le voir*, A. Moreau, 1976, épuisé. *(P. 43-45.)*
– *Au regard du regard*, L'Arche, 1995.
BRENOT Philippe, *Les Hommes, le Sexe et l'Amour. Enquête sur l'intimité, la sexualité et les comportements amoureux des hommes en France*, Les Arènes, 2011. *(P. 32.)*
BRETON Emile, *Femmes d'images*, Messidor, 1984. *(P. 125, 142, 288.)*
BRUNHES Olivier, *La Nuit du chien*, Actes Sud, 2012. *(P. 267.)*
BURKE Caroline, *Lee Miller, A Life*, University of Chicago Press, Chicago, 2007.
BUSS David, *The Murderer Next Door*, Penguin, New York & Londres, 2005. *(P. 67.)*
CAMPBELL Bernard Grant, *Sexual Selection and the Descent of Man*, Aldine, Chicago, 1972.
CLAUDEL Paul, *Protée*, Gallimard, 1972. *(P. 139-140.)*
CUVILLIER Dominique, *Les femmes sont-elles solubles dans la mode ?*, Editions des Ecrivains, 2002.
DAMASIO Antonio, *L'Erreur de Descartes. La raison des émotions*, Odile Jacob, 1995.
DAWKINS Richard, *The Selfish Gene*, Oxford UP, 2006 [1976].
DESPENTES Virginie, *King Kong Théorie*, Grasset, 2006. *(P. 97, 200-201, 223, 226, 231.)*
DIAMOND Jared, *Why Is Sex Fun ? The Evolution of Human Sexuality*, Basic Books, New York, 1998 ; trad. fr. *Pourquoi l'amour est un plaisir. L'évolution de la sexualité humaine*, Hachette, 1999.
– *Guns, Germs and Steel : The Fates of Human Societies*, Norton, New York, 2005 ; trad. fr. *De l'inégalité parmi les sociétés : Essai sur l'homme et l'environnement dans l'histoire*, Folio Essais, 2007. *(P. 44.)*
– *The Third Chimpanzee : The Evolution and Future of the Human Animal*, Harper Perennial, New York, 2006 ; trad. fr. *Le Troisième Chimpanzé. Essai sur l'évolution et l'avenir de l'animal humain*, Folio Essais, 2011.

DURBAN Dr P., *La Psychologie des prostituées*, Librairie Maloine, 1969.

EKMAN Paul, "Introduction à Charles Darwin", in *The Expression of the Emotions in Man and Animals*, Harper Perennial, 2009. *(P. 74.)*

FLAHAULT François, "Faiblesse du sexe fort", *Diversités* n° 138, sept. 2004. *(P. 64.)*

FREUD Sigmund, *Trois essais sur la théorie sexuelle*, PUF, 2010. *(P. 223.)*

FRYDMAN René, *Lettre à une mère*, Iconoclaste, 2008. *(P. 238.)*

GABOR Mark, *The Pin-Up : A Modest History*, Universe Books, New York, 1972.

GARY Diego, *S. ou l'Espérance de vie*, Gallimard, 2009. *(P. 111, 249.)*

GARY Romain, *La Vie devant soi*, Gallimard, 1975. *(P. 68.)*

GIBBON Maureen, *Thief*, Atlantic, Londres, 2010, p. 29. *(P. 55.)*

GAUGUIN Paul, *Noa Noa*, Jean-Jacques Pauvert, 1988. *(P. 79.)*

GODET Fabienne, *Ne me libérez pas je m'en charge*, Le Bureau Films, Paris, 2009. *(P. 66-67.)*

GUDIN Claude, *Une histoire naturelle de la séduction*, Points Seuil, 2008. *(P. 83-84.)*

HÉRITIER Françoise, *Masculin/Féminin*, t. I : *La Pensée de la différence*, t. II : *Dissoudre la hiérarchie*. *(P. 19-20, 206-208, 228.)*

HILLESUM Etty, *Les Ecrits d'Etty Hillesum. Journaux et lettres, 1941-1943*, trad. fr. de Philippe Noble, Seuil, 2008, p. 183. *(P. 285)*

HUSTON Nancy, *Angela et Marina*, théâtre, en collaboration avec V. Grail, Actes Sud-Papiers, 2002. *(P. 163.)*

– *Professeurs de désespoir*, Actes Sud / Leméac, 2004.

– "La donne", in *Ames et corps*, Actes Sud / Leméac, 2004. *(P. 131.)*

– Préface à Anaïs Nin, *Journaux de jeunesse*, Stock, 2010.

– Préface à Nelly Arcan, *Burqa de chair*, Seuil, 2011.

– *Poser nue*, avec des sanguines de Guy Oberson, Cohen & Biro Editeurs, 2011.

– *Le Mâle entendu*, textes de Jean-Philippe Viret, Edouard Ferlet et Fabrice Moreau, CD-livre, Mélisse, 2012. *(P. 88, 127, 277, 280.)*

JONES Geoffrey, *Beauty Imagined : A History of the Global Beauty Industry*, Oxford University Press, New York, 2010. *(P. 137.)*

LACAN Jacques, "Le stade du miroir comme formateur de la fonction du Je", in *Ecrits I*, Points Seuil, 1966. *(P. 39.)*

LECLERC Annie, *Hommes et femmes*, Grasset, 1985. *(P. 187, 194.)*

LESSING Doris, *Le Carnet d'or*, Albin Michel, 1976. *(P. 209.)*

LIPOVETSKY Gilles, *La Troisième Femme*, Gallimard, 1997. *(P. 137, 145, 148-149.)*

MALAMUD Bernard, "The Model", in *The Complete Stories*, Farrar, Strauss & Giroux, New York, 1997. *(P. 178.)*

McCANN Colum, *Et que le vaste monde poursuive sa course folle*, Christian Bourgois, 2009 (© Colum McCann, 2009, All rights reserved). *(P. 255-257.)*

McGEE Garry, *Jean Seberg – Breathless*, Bear Manor Media, 2008.

MERNISSI Fatema, *Le Harem et l'Occident*, Albin Michel, 2001. *(P. 148, 156, 294.)*

MILLER Alice, *Notre corps ne ment jamais*, Flammarion, 2004.

– *Ta vie sauvée enfin*, Flammarion, 2008.

MONROE Marilyn, *Fragments*, Seuil, 2010.

MORRIS Desmond, *La Femme nue* (2004), Calmann-Lévy, 2005.

MURAKAMI Haruki, *La Ballade de l'impossible*, © Belfond, Place des Editeurs, pour la traduction française, 2007. *(P. 274-277.)*

NIN Anaïs, *Journaux de jeunesse*, © Editions Stock, 2010, pour la traduction française. *(P. 60-61, 101-103, 119-121, 165, 244.)*

– avec Henry Miller, *A Literate Passion*, Mariner Books, 1989.

OATES Joyce Carol, *Blonde*, Harper Perennial, 2001 ; © Editions Stock pour la traduction française, 2000, 2010. *(P. 168.)*

– *Little Bird of Heaven*, Ecco, 2009.

OKSANEN Sofi, *Purge*, Stock, 2010.
– *Les Vaches de Staline*, Stock, 2011. *(P. 151.)*

PALMER Jack A., *Evolutionary Psychology : The Ultimate Origins of Human Behavior*, Allyn & Bacon, Boston, 2002.

PINKER Steven, *The Blank Slate : The Modern Denial of Human Nature*, Penguin, Londres, 2002 ; trad. fr. *Comprendre la nature humaine*, Odile Jacob, 2005.

RÉAL Grisélidis, *Le noir est une couleur*, Folio, 2007. *(P. 198, 218.)*

RICHARDSON John, *Sacred Monsters, Sacred Masters*, Random House, 2001. *(P. 170.)*

ROUMETTE Sylvain, *Lee Miller ou la Traversée du miroir*, Arte Vidéo, 2006. *(P. 247.)*

SHACKELFORD George T. et REY Xavier, *Degas and the Nude*, Museum of Fine Arts, Boston, 2011.

STAUFFER Olivier, *Marilyn Monroe. Derrière le miroir*, Favre, 2006. *(P. 167-168.)*

SYMONS Donald, *The Evolution of Human Sexuality*, Oxford University Press, 1979 ; trad. fr. *Du sexe à la séduction. L'évolution de la sexualité humaine*, Sand, 1994. *(P. 78, 81, 85.)*

THORNHILL Randy et GANGESTAD Steven W., *The Evolutionary Biology of Human Female Sexuality*, Oxford UP, 2008.

VIGARELLO Georges, *Histoire de la beauté. Le corps et l'art d'embellir, de la Renaissance à nos jours*, Seuil, 2004. *(P. 137-138, 142-143, 147, 149.)*

WAAL Frans de, *L'Age de l'empathie. Leçons de la nature pour une société solidaire*, éd. LLL, 2010.

"WALTER", *My Secret Life : "The Sex Diary of a Victorian Gentleman"*, première publication Amsterdam, 1888-1894.

WEDEKIND Franz, *Lulu*, in *Théâtre complet II*, Théâtrales, 1997. *(P. 111-112.)*

WOLF Naomi, *The Beauty Myth : How Images of Beauty Are Used Against Women*, Vintage Book, Londres, 1991. *(P. 148-149.)*

Références filmographiques

DAVY Jean-François, *Prostitution*, avec Grisélidis Réal, 1976.
ESPAR David et LEWIS Susan K., *Evolution : Charles Darwin's Dangerous Idea*, WGBH, Boston, 2001. *(P. 86.)*
FERRILLON Jean-François, *Images de femmes, ou le Corset social*, Imagie Production, 2010.
LONCKE Sandrine, *La Danse des Wodaabe (Niger)*, 2010. *(P. 81.)*
SIMON Claire, *Les Bureaux de Dieu*, 2008. *(P. 258.)*

*

Mes réflexions pour ce livre ont été enrichies par de nombreuses conversations avec des amis : Séverine Auffret, Chloé Baker, Lisa Davidson, Edouard Ferlet, Serge Hureau, Olivier Hussenet, Catherine Marnas, Hervé Matras, Fabrice Moreau, Guy Oberson, Ralph Petty, Chloé Réjon, John Stewart, Tzvetan Todorov, Jean-Philippe Viret… Qu'ils en soient ici chaleureusement remerciés.

TABLE

DU MÊME AUTEUR

Romans, récits, nouvelles

LES VARIATIONS GOLDBERG, romance, Seuil, 1981 ; Babel n° 101.
HISTOIRE D'OMAYA, Seuil, 1985 ; Babel n° 338.
TROIS FOIS SEPTEMBRE, Seuil, 1989 ; Babel n° 388.
CANTIQUE DES PLAINES, Actes Sud / Leméac, 1993 ; Babel n° 142.
LA VIREVOLTE, Actes Sud / Leméac, 1994 ; Babel n° 212.
INSTRUMENTS DES TÉNÈBRES, Actes Sud / Leméac, 1996 ; Babel n° 304.
L'EMPREINTE DE L'ANGE, Actes Sud / Leméac, 1998 ; Babel n° 431.
PRODIGE, Actes Sud / Leméac, 1999 ; Babel n° 515.
LIMBES / LIMBO, Actes Sud / Leméac, 2000.
DOLCE AGONIA, Actes Sud / Leméac, 2001 ; Babel n° 548.
UNE ADORATION, Actes Sud / Leméac, 2003 ; Babel n° 650.
LIGNES DE FAILLE, Actes Sud / Leméac, 2006 ; Babel n° 841.
LISIÈRES, Biro éditeur, 2008 (avec Mihai Mangiulea).
INFRAROUGE, Actes Sud / Leméac, 2010 ; Babel n° 1112.

Livres pour jeune public

VÉRA VEUT LA VÉRITÉ, Ecole des loisirs, 1992 (avec Léa).
DORA DEMANDE DES DÉTAILS, Ecole des loisirs, 1993 (avec Léa).
LES SOULIERS D'OR, Gallimard, "Page blanche", 1998.
ULTRAVIOLET, Thierry Magnier, 2011.

Essais

JOUER AU PAPA ET À L'AMANT, Ramsay, 1979.
DIRE ET INTERDIRE : ÉLÉMENTS DE JUROLOGIE, Payot, 1980 ; Petite bibliothèque Payot, 2002.
MOSAÏQUE DE LA PORNOGRAPHIE, Denoël, 1982 ; Payot, 2004.
À L'AMOUR COMME À LA GUERRE. CORRESPONDANCE, Seuil, 1984 (avec Samuel Kinser).
LETTRES PARISIENNES : AUTOPSIE DE L'EXIL, Bernard Barrault, 1986 ; J'ai lu, 1999 (avec Leïla Sebbar).
JOURNAL DE LA CRÉATION, Seuil, 1990 ; Babel n° 470.
TOMBEAU DE ROMAIN GARY, Actes Sud / Leméac, 1995 ; Babel n° 363.
DÉSIRS ET RÉALITÉS, Leméac / Actes Sud, 1996 ; Babel n° 498.

NORD PERDU suivi de *DOUZE FRANCE*, Actes Sud / Leméac, 1999 ; Babel n° 637.
ÂMES ET CORPS, Leméac / Actes Sud, 2004 ; Babel n° 975.
PROFESSEURS DE DÉSESPOIR, Leméac / Actes Sud, 2004 ; Babel n° 715.
PASSIONS D'ANNIE LECLERC, Actes Sud / Leméac, 2007.
L'ESPÈCE FABULATRICE, Actes Sud / Leméac, 2008 ; Babel n° 1009.

Théâtre

ANGELA ET MARINA, Actes Sud-Papiers / Leméac, 2002 (en collaboration avec Valérie Grail).
UNE ADORATION, Leméac, 2006 (adaptation théâtrale de Lorraine Pintal).
MASCARADE, Actes Sud Junior, 2008 (avec Sacha).
JOCASTE REINE, Actes Sud / Leméac, 2009.
KLATCH AVANT LE CIEL, Actes Sud Papiers / Leméac, 2011.

Livres en collaboration avec des artistes

TU ES MON AMOUR DEPUIS TANT D'ANNÉES, poèmes, avec des dessins de Rachid Koraïchi, Thierry Magnier, 2001.
VISAGES DE L'AUBE, avec des photographies de Valérie Winckler, Actes Sud / Leméac, 2001.
LE CHANT DU BOCAGE, en collaboration avec Tzvetan Todorov, photographies de Jean-Jacques Cournut, Actes Sud, 2005.
LES BRACONNIERS D'HISTOIRES, avec des dessins de Chloé Poizat, Thierry Magnier, 2007.
LISIÈRES, avec des photographies de Mihai Mangiulea, Biro Editeur, 2008.
POSER NUE, avec des sanguines de Guy Oberson, Biro & Cohen Editeurs, 2011.
DÉMONS QUOTIDIENS, avec des dessins de Ralph Petty, L'Iconoclaste, 2011.
EDMUND ALLEYN OU LE DÉTACHEMENT, avec les lavis du peintre Edmund Alleyn, Leméac / Simon Blais, 2011.

OUVRAGE RÉALISÉ
PAR L'ATELIER GRAPHIQUE ACTES SUD
ACHEVÉ D'IMPRIMER
SUR ROTO-PAGE
EN AVRIL 2012
PAR L'IMPRIMERIE FLOCH
À MAYENNE
POUR LE COMPTE DES ÉDITIONS
ACTES SUD
LE MÉJAN
PLACE NINA-BERBEROVA
13200 ARLES

DÉPÔT LÉGAL
1ʳᵉ ÉDITION : MAI 2012
N° impr. : 82207
(Imprimé en France)

BIBLIO RPL Ltée

G – NOV. 2012